Martina Kempff
EinKEHR zum tödlichen Frieden

PIPER

Zu diesem Buch

Den Toten, der in einer Blutlache auf dem Boden der Eifeler Krippenausstellung liegt, sieht Katja Klein zum ersten Mal. Allerdings will ihr das keiner glauben, denn es handelt sich um ihren Bruder. Erst am Tag zuvor ist die arbeitslose Journalistin aus Berlin nach Kehr gereist, um ihn kennenzulernen. Nun sitzt sie in dem gottverlassenen Dorf fest und muss erklären, dass sie ihren Bruder nicht ermordet hat. Und so beschließt sie, die Flucht nach vorn anzutreten: Sie bezieht das düstere Haus des Toten, freundet sich mit dessen eigenwilligem Hund an und begibt sich auf Spurensuche. Ein gefährliches Unterfangen, denn in der Vergangenheit ihrer unbekannten Familie stößt sie auf alte Rechnungen, die noch längst nicht beglichen sind.

Martina Kempff ist Schriftstellerin, Übersetzerin und freie Journalistin. Sie war Redakteurin bei der Berliner Morgenpost, Reporterin bei Die Welt und bei Bunte, bis sie beschloss, Bücher zu schreiben. Besonders bekannt ist sie für ihre historischen Romane wie »Die Königsmacherin«, »Die Beutefrau« und »Die Welfenkaiserin«, die sich durch hervorragende Recherche und außergewöhnliche Heldinnen auszeichnen. Martina Kempff lebte lange in Griechenland, später in Amsterdam. Die letzten Jahre verbrachte sie in der Eifel, was sie zu einer einfallsreichen Krimiserie inspirierte. Heute lebt sie im Bergischen Land.
Weiteres zur Autorin: www.martinakempff.de

Martina Kempff

EinKEHR zum tödlichen Frieden

Ein Eifel-Krimi

Piper München Zürich

Mehr über unsere Autoren und Bücher:
www.piper.de

Von Martina Kempff liegen vor:
Die Schattenjägerin (Piper)
Die Eigensinnige (Piper)
Die Königsmacherin (Piper)
Die Rebellin von Mykonos (Piper)
Die Beutefrau (Piper)
Die Welfenkaiserin (Piper)
Die Marketenderin (Piper)
Einkehr zum tödlichen Frieden (Piper)
Die Kathedrale der Ketzerin (Pendo)

Mix
Produktgruppe aus vorbildlich bewirtschafteten
Wäldern und anderen kontrollierten Herkünften
www.fsc.org Zert.-Nr. GFA-COC-001223
© 1996 Forest Stewardship Council

Ungekürzte Taschenbuchausgabe
Juli 2010
© 2009 Piper Verlag GmbH, München
Umschlaggestaltung: semper smile, München
Umschlagfoto: Zen Shui / PhotoAlto
Autorenfoto: Stefan Enders
Satz: psb, Berlin
Papier: Munken Print von Arctic Paper Munkedals AB, Schweden
Druck und Bindung: CPI – Clausen & Bosse, Leck
Printed in Germany   ISBN 978-3-492-25253-9

Kaiser Wilhelm II. über die Eifel:

»Welch ein wundervolles Jagdrevier, nur schade, dass hier Menschen leben.«

Es werden aber immer weniger.

Tag 1, Freitag, frühmorgens

Der mannshohe hölzerne Josef trägt einen mauvefarbe-
nen Umhang über seinem hellen Nachthemd und
schaut mit gütigem Lächeln auf das Christkind, das
allen Babypuppen meiner Kindheit gleicht. Jetzt allerdings wirkt es wie ein Objekt des Grauens: Es starrt
genauso blicklos gen Himmel wie der Tote, der neben
Josef und Maria liegt. Der Ochse dahinter dezimiert
laut mampfend einen Heuberg; der Esel erleichtert
sich ungerührt im Stroh.

»Die meisten Gewalttaten«, sagt der zerzauste belgische Bereitschaftspolizist, der sich mir als Marcel
Langer vorgestellt hat, »spielen sich in der Familie ab.«
In seinen freundlich geäußerten Worten schwingt Mitleid mit.

»Aber ich kenne den Toten überhaupt nicht!«, rufe
ich entgeistert. »Ich habe doch grad erst erfahren, dass
er mein Halbbruder ist!«

»Ich nehme Sie ja auch nicht wegen Mordverdachts
fest«, sagt der Polizist, sich das Wörtchen »noch« offenbar verkneifend, »muss Sie aber bitten, sich uns zur Verfügung zu halten.« Er mustert meinen Personalausweis.
»Was hat Sie überhaupt aus Berlin in die Eifel geführt?«

»Mein Bruder«, murmele ich, »ich wollte ihn nur kennenlernen.«

Ich starre auf den Toten, dessen Hinterkopf auf dem Krippenboden wie von einem zu Boden gefallenen dunkelroten Heiligenschein eingerahmt ist. Im Stroh dahinter liegt ein riesiger scharfkantiger Eisbrocken, der sich bei näherer Betrachtung als Bergkristall herausstellt. Mit viel Blut daran. Schlechtes Karma für eine Karriere als Heilstein, geht mir durch den Kopf; hier sind wohl ganz andere Schwingungen aktiv gewesen.

»Nicht anfassen!«, fährt mich der Polizist an, als ich mich nach dem glänzenden Stein bücke.

»Bestimmt ganz schön schwer«, sagt der Kollege und mustert mich beziehungsreich. Klar, schwer bin ich auch. Uns Dicken traut man alles zu. Wir verlieren eben nicht nur beim Essen die Beherrschung, sondern ergreifen spontan jeden herumliegenden Bergkristall, um damit Schädel einzuschlagen.

»Sichere den Tatort und ruf endlich den Staatsanwalt in Eupen an!«, knurrt Langer und wendet sich wieder an mich.

»Am Tag vor dem Mord an Ihrem Bruder, den Sie angeblich gar nicht kennen, tauchen Sie hier in der Eifel auf und finden ausgerechnet ihn rein zufällig am nächsten Morgen erschlagen in der Krippe vor?«

»So in etwa«, flüstere ich. »Ich glaub, ich bin im falschen Film.«

»Das sollten Sie mir in aller Ruhe erklären«, fordert er.

Ich deute auf die Hinterwand des Hotels Balter.

Nach diesem Schock benötige ich dringend etwas Süßes.

»Das ist bundesdeutsches Gebiet«, bemerkt er zögernd und fährt sich durch verwuscheltes dunkles Haar mit vereinzelten Altersfäden.

»Aber auf dem Handy kriege ich dort nur ein belgisches Netz«, widerspreche ich.

»So haarscharf abgrenzen kann man das wohl nicht«, meint er müde. »Und das müssen wir in diesem Fall vielleicht auch nicht tun. Obwohl ich in Uniform eigentlich nicht in Deutschland ermitteln darf. Aber ich brauche unbedingt einen Kaffee. Und da drüben«, er nickt zu einem Café auf der gegenüberliegenden Straßenseite hin, »im belgischen *Old Smuggler* ist es jetzt viel zu voll.«

Der hintere Gastraum des Hotels ist leer. Und Angriff die beste Verteidigung.

»Sie machen es sich sehr leicht, Herr Polizeiinspektor«, fahre ich Langer an, als wir uns an einem kleinen Tisch vor einem mit Kakteen, Bügeleisen und Porzellanfiguren geschmückten Fenster gegenübersitzen, »die fremde Touristin zum Opfer zu machen ...«

»Halt!«, unterbricht der Polizist. »Das Opfer ist Belgier. Kaffee?« Eine drahtige Kellnerin mit Schreibblock strebt auf uns zu.

»Ja! Und ein großes Stück Schokoladentorte. Bitte.«

Das letzte Wort schiebe ich für die Kellnerin nach. Als sich die Tür hinter ihr schließt, fahre ich fort: »Wer schuldlos zum Täter gemacht wird, *ist* ein Opfer. Und diese Rolle habe ich gründlich satt! Damit Sie Bescheid wissen, Herr Langer, ich habe vorgestern meine Mutter beerdigt, meinen Arbeitsplatz sowie meinen Freund verloren und wurde obendrein noch aus meiner Wohnung vertrieben! Ich finde, mein Soll an Schicksalsschlägen ist für diese Woche gedeckt. Ich lasse mir nicht auch noch den Mord an einem langhaarigen, schmuddeligen Mann anhängen, der mein Bruder sein soll und den ich überhaupt nicht kenne!«

Aber dessen Leiche ich aufgefunden habe, weil ich an offenen Pforten einfach nicht vorbeigehen kann, setze ich für mich hinzu.

»Ich möchte Ihnen nichts anhängen, sondern einen Mord aufklären«, sagt Langer freundlich. »Sollten Sie ihn doch begangen haben, könnte Ihre schlimme Vorgeschichte vor Gericht durchaus als strafmindernd gewertet werden. Und sind Sie unschuldig, haben Sie möglicherweise etwas beobachtet, das uns zum Täter führen kann. Also fangen Sie am besten von vorn an.«

Als Journalistin hätte ich lange gezögert, einem Polizisten mein Herz auszuschütten, aber ich bin keine Journalistin mehr, befinde mich in einer verzweifelten Lage und habe außerdem noch nie einen derart charmanten Akzent mit einem so liebenswert geröchelten R gehört wie den dieses belgischen Polizisten. Der zwar aussieht, als wäre er soeben aus dem Bett gefallen, mich aber aus recht wachen Augen mustert.

»Meine Mutter ist vor einer Woche gestorben«, beginne ich, sehe die dichten schwarzen Augenbrauen

hochschnellen und setze hastig hinzu: »Im Krankenhaus. Es war ein natürlicher Tod.«

»Wohl kaum«, kommt eine Stimme von der breiten
Falttür. Langers Kollege tritt mit einem jungen Mann
ein. »Gerd Christensen ist eindeutig erschlagen worden. Michael Balter hier, der Inhaber der Krippana,
sagt, der Stein sei aus den Geschäftsräumen entwendet
worden.«

»Es handelt sich um einen Bergkristall«, verbessert
Balter mit eindringlich sanfter Stimme, »und der för-
dert normalerweise Durchblutung und Sauerstoffver-
sorgung.«

Er lässt diese Aussage auf uns wirken, ehe er fort-
fährt: »Wer immer es war, hat den Bergkristall aus der
Ausstellung fortgeschafft, ohne Licht zu machen. Ich
habe mir soeben die Aufnahmen der Überwachungs-
kamera angesehen. Als die Putzfrau um kurz vor
zwanzig Uhr das Licht ausmachte, war der große Bergkristall noch da. Die Tageslichtaufnahmen vom frühen
Morgen sind zwar schwach, aber man kann deutlich
erkennen, dass der Stein fehlt. Die Putzfrau habe ich
telefonisch schon herbestellt. Wann ist der arme Christensen überhaupt ermordet worden?«

Marcel Langer seufzt erlöst, als uns die drahtige
Kellnerin Kaffee und Kuchen vorsetzt. Süchtig, denke
ich voller Sympathie, als er sofort zur Tasse greift und
sie fast auf einen Zug leert. Ich stürze mich auf den
Kuchen. Unterzuckerung kann ich mir jetzt keinesfalls
leisten.

»Den genauen Todeszeitpunkt kann nur der Gerichtsmediziner feststellen«, bringt Langer nuschelnd hervor, während er sich mit der Hand ein paar Kaffeetropfen vom unregelmäßig geschnittenen Schnauzbart wischt, »aber dem ersten Anschein nach ist er wohl schon gestern Abend umgebracht worden.«

Ich verschlucke mich fast an meinem Schokoladenkuchen. »Dann kann ich es ja gar nicht gewesen sein!«, rufe ich krümelsprühend. »Ich habe ihn doch erst heute früh entdeckt.«

»Sie sind zum Tatort zurückgekehrt, um damit später mögliche Spuren Ihrerseits zu erklären«, stellt Langer ungerührt fest. »Ein alter Trick.«

Die drahtige Kellnerin meldet das Eintreffen von Frau Mertes, der Putzfrau. Voller Hoffnung, die Ermittler würden sich jetzt auf eine andere Verdächtige stürzen, drehe ich mich um. An der halb offenen Falttür steht ein zierliches Persönchen in Kittelschürze, Größe 34, höchstens. Total ungeeignet, um mit einem riesigen Bergkristall auf eine Leiter zu steigen und von der oberen Sprosse aus einen drei Köpfe größeren Mann zu erschlagen.

Langer wirft mir eine Zeitung auf den Tisch und bittet mich zu warten. Als er sich erhebt und damit den Blick auf den grünen Marmorsockel hinter sich freigibt, von dem mich ein großer grüner Marmorfrosch höhnisch anzugrinsen scheint, schlage ich lustlos das »Grenz-Echo« auf. Hier starren mich zwei Seiten Todesanzeigen an. Sofort denke ich an meine Mutter. Über deren Tod ich die Öffentlichkeit nicht unterrichtet habe, weil die sich dafür nicht interessiert hätte.

Als meine Mutter vor einer Woche im Sterben lag, konnte man mir nicht rechtzeitig Bescheid sagen, weil ich mein Handy ausgeschaltet hatte, um mich ungestört bei meinem Freund auszuweinen: Der Verlag hatte mir gerade die Arbeitsstelle gekündigt. Im Zuge allgemeiner Einsparungen benötige die Zeitschrift leider keine Moderedakteurin mehr, hieß es.

Als ich dies meinem Freund in seinem Büro mitteilen wollte, erfuhr ich, dass er künftig keine Freundin mehr benötige. Nach vierzehn Jahren sei ihm die außereheliche Beziehung zu mir einfach zu stressig geworden. Er habe seiner Frau alles gebeichtet und werde nun wieder zum anständigen Familienvater mutieren.

Später erfuhr ich im Krankenhaus, dass meine Mutter in genau dieser Stunde gestorben war. Zwischen uns war alles gesagt worden – bis auf eins: Den Namen meines Vaters würde sie mit ins Grab nehmen. Jedenfalls dachte ich dies, als ich an ihrem Totenbett stand und irgendwie froh war, ihr die Hiobsbotschaften meiner Kündigung und der Beendigung meines unanständigen Verhältnisses nicht mehr aufbürden zu müssen.

Ich bin Einzelkind. Meine Mutter hatte nie geheiratet. Sie war als junge Schwangere aus der Eifel nach Berlin gezogen und hatte den Kontakt zu ihrer streng katholischen Familie abgebrochen. Ich wusste nicht einmal ganz genau, aus welcher Gegend sie stammte. Sonst hätte ich mich bestimmt schon frühzeitig auf die Suche nach meinem Erzeuger gemacht. Ich hätte diesen Herrn gern darüber informiert, was er meiner Mutter angetan hatte, die in der Großstadt nie heimisch geworden war. Immerzu sang sie Lieder von Wäldern, Ginster und schneebedeckten Hängen, blieb aber in Berlin, um mir eine Zukunft zu ermöglichen. Wenn ich sie enttäuscht haben sollte, ließ sie sich das nicht anmerken. Sie klagte nie darüber, dass ich ihr keine Enkelkinder geschenkt habe.

Manchmal denke ich, dass sie Kinder ebenso wenig mochte wie ich. Meine Abneigung hatte sich schon im Grundschulalter gefestigt. Wie hätte ich Gleichaltrige auch mögen sollen, wenn sie Abzählverse erfanden wie »Katjas Mutter putzt die Treppe, du fällst über deine Schleppe« oder »Katja drückt den Feudel aus, du bist nass und darum raus«. Meine Mutter war froh, als Reinemachefrau in der Schule einen festen Arbeitsplatz zu haben, auch wenn dies ihre Knie schwer belastete. Ich drückte ihr nicht nur den Feudel aus, sondern half ihr, sooft es mir möglich war, bei der Arbeit, damit sie schneller fertig wurde und wir zusammen Mittag essen konnten.

Als meine Mutter zwei Monate zuvor ins Krankenhaus kam, forderte sie mich auf, ihre Wohnung aufzulösen. Ich sollte das behalten, was ich haben wollte, den Rest loswerden und ihr versprechen, den Umschlag mit der Aufschrift »Für Katja. Nach meinem Tod zu öffnen« auch wirklich erst nach ihrem Tod einzusehen.

An diesem Abend legte ich den Umschlag vor mich auf den Tisch. Er war sehr dick und schwer. Zweimal griff ich zur Schere, um ihn aufzuschlitzen, aber jedesmal schreckte ich wieder davor zurück. Wenn ich diesen Umschlag öffnete, war meine Mutter wirklich tot.

Solange er geschlossen blieb, konnte ich mir einbilden, dass sie im Krankenhaus in ihrem Bett lag und auf meinen Besuch wartete.

Gegen Mitternacht fiel mir ein, dass ich seit dem Frühstück nichts mehr zu mir genommen hatte. Normalerweise wäre ich hocherfreut gewesen, keinen Gedanken an Essen verschwendet zu haben. Als Moderedakteurin mit Übergewicht kannte ich den Blick, mit dem mich Fashion-Designer beim Interview heimlich musterten, und ich konnte sogar ihre Gedanken lesen: Elefantengröße 48, schade, dabei hat sie so ein hübsches Gesicht.

Handys gab es noch nicht, als ich mich in den Mann verliebte, der sich von seiner Frau trennen wollte, sobald die Kinder aus dem Haus waren. Als das Handy aufkam, hielt meine eigene Mobilität mit jener der Telekommunikation nicht Schritt. Dafür hatte sich das Ritual bei mir zu sehr gefestigt. Nicht der Mann selbst, sondern das Festnetz-Telefon blieb der Lebensmittelpunkt. Und bei mir befand es sich ganz in der Nähe der Lebensmittel: auf dem Kühlschrank. Damit ich schnell zu einer Portion Schokoladeneis greifen konnte, wenn er, wie so oft, in letzter Minute telefonisch absagte. Und die Wartezeiten am Telefon ließen sich vor dem gut gefüllten Kühlschrank auch besser überbrücken.

Natürlich meldeten sich immer wieder Küchenpsychologen zu Wort, die der Ursache meines Übergewichts auf den Grund gehen wollten. Denen teilte ich fröhlich mit, diese sei natürlich in meiner Kindheit zu suchen. Meine Mutter hatte Schokoladeneis-Entzug als Erziehungsmittel eingesetzt, dem Essen dadurch eine besondere Bedeutung eingeräumt und so den Grundstein für meine Ess-Störung gelegt. Das konnte ich ihr nicht übel nehmen, denn in der armen Eifel, in der sie aufgewachsen war, muss sie oft Hunger gelitten haben, übrigens eine der wenigen Andeutungen, die sie über ihre Herkunft losließ. Wenn Nichtessen als Strafe dient, wird einer so normalen Angelegenheit wie Nahrung die Rolle der Belohnung zugewiesen und erhält Gewicht. Was sich bei mir als solches niederschlug.

Essen ist auch heute keine normale Angelegenheit für mich. Deshalb verwöhne ich mich nach anstrengenden Tagen gern mit besonders ausgefallenen kulinarischen Kombinationen. Ich muss gar nicht schwanger sein, damit mir bei dem Gedanken an saure Heringe mit Quitten-Schlagsahne das Wasser im Mund zusammenläuft.

Mein Fett ist mein Panzer, meine Figur ein Statement, und ich denke nur ans Abnehmen, wenn ich den Reißverschluss meiner Jeans nicht zuziehen kann. Ein Garderobenwechsel auf Größe 50 ist einfach zu zeitraubend. Oder war es, solange ich meinen Job noch hatte.

Etwas wehmütig denke ich an meine früheren Sorgen. Jetzt würde ich mir einen Garderobenwechsel nicht mehr leisten können. Es müssten schon andere Zeiten kommen, ehe eine beinahe fünfzigjährige Moderedakteurin eine neue Anstellung findet. Eine einstige Moderedakteurin, die zudem noch unter Mordverdacht steht.

Was ich vor zwei Tagen noch nicht wusste, als ich den dicken Umschlag anstarrte und zum Kühlschrank schritt. Doch der Anblick des Telefons verdarb mir den Appetit. Ich stellte es in den Flur. Eine beinah feierliche Handlung, mit der ich mich von meinem Lebensmittelpunkt verabschiedete.

Marcel Langers Räuspern reißt mich aus der Rückschau. Der Polizist zieht die dunkelblaue Uniformjacke aus, enthüllt dabei ein ziemlich zerknittertes hellblaues Hemd mit zwei Sternen sowie den Aufschriften *Police* und *Polizei*, dankt der Kellnerin für den nächsten Kaffee und lässt sich wieder mir gegenüber nieder.

»Haben Sie die Täterin?«, frage ich nicht sehr hoffnungsvoll.

»Das wird sich herausstellen«, erwidert er, sieht mich beziehungsreich an und schweigt.

»Konnte sie Ihnen denn weiterhelfen?«, hake ich nach. Schließlich bin ich Journalistin.

»Über den Fortgang der Ermittlungen darf ich Ihnen nichts sagen«, kommt der Satz, der mich schon als junge Zeitungsvolontärin zur Verzweiflung gebracht hatte.

»Wie soll ich mich denn verteidigen, wenn ich nichts weiß?«, platze ich ungehalten heraus, greife nach dem Keks, der seinen Kaffee begleitet, und reiße die Plastikverpackung auf. Ich bin immer noch hungrig, aber es scheint unangebracht, in dieser Lage ein Rührei mit Thüringer Würstchen, nur leicht angebratenem Speck, Ahornsirup und einem Hauch von Kapuzinerkresse zu bestellen.

»Bis zur Gerichtsverhandlung ist noch Zeit«, sagt er, als wäre ich ganz zweifelsfrei die Täterin. Ich mustere ihn fassungslos.

»Haben Sie niemanden, der Ihnen das Hemd bügelt?«, maskiere ich mein Entsetzen.

»Nein«, antwortet er ungerührt, zupft an seinem verkrumpelten Kragen und fragt, woran meine Mutter gestorben sei.

Am Heimweh nach der Eifel, hätte ich beinahe geantwortet, nenne aber dann doch lieber den komplizierten medizinischen Namen ihrer todbringenden Erkrankung. Ich erwarte eine Nachfrage, aber er nickt nur.

»Genau wie mein Vater«, sagt er leise und wirkt in seinem verknitterten Hemd und der schief hängenden dunkelblauen Krawatte auf einmal menschlich – und genauso verwaist wie ich. Gern hätte ich ihn nach seinem Vater gefragt, ob dieser auch so gelitten und er als Sohn das voller verzweifelter Hilflosigkeit miterlebt hat, aber wie das Rührei scheint diese Frage fehl am Platz, und so berichte ich von meinem Erbe.

»Ich habe dann diesen Umschlag meiner Mutter aufgerissen«, sage ich, erzähle, wie das dicke Bündel D-Mark-Scheine herausfiel und ich sofort zu heulen begonnen hatte. Meine Mutter, die gerade das Nötigste zum Lebensunterhalt und für meine Ausbildung verdient und danach eine Mindestrente bezogen hatte, die an keinem Bettler hatte vorbeigehen können, ohne ihm etwas zuzustecken, musste mehr als nur an der Butter gespart haben, um mir diese Summe zu hinterlassen. Ich zählte das Geld und rechnete schnell um.

Vierzehntausend Euro. Zusammen mit der Abfindung, die vom Verlag zu erwarten war, konnte ich mich damit eine Zeitlang über Wasser halten. Natürlich würde ich umziehen müssen. Für eine arbeitslose Journalistin war eine Miete von knapp tausend Euro unerschwinglich.

»Tausend Euro Miete!«, unterbricht mich Langer erschüttert. »Und so was ist in Berlin normal?«

»Was ist schon normal?«, fahre ich ihn an. »Eine Leiche zum Frühstück?«

»*Ich* könnte noch gar nichts essen«, gibt er zurück und greift nach dem Kekspapier. Das Knistern zwischen seinen Fingern unterstreicht den unausgesprochenen Vorwurf.

»Nervennahrung«, murmele ich. »Im Umschlag war übrigens nicht nur Geld.«

Sondern auch ein Bündel Briefe. Sie waren mit einem Gummiband zusammengehalten und trugen alle die gleiche Handschrift und den gleichen Absender: Karl Christensen aus Kehr/Büllingen in Belgien.

Ich hatte keine Ahnung, dass meine Mutter mit einem Belgier in Kontakt gestanden hatte. Aber schon der erste Brief klärte mich auf. Dieser Karl Christensen freute sich, dass Anna ihre Tochter Katharina genannt hatte. Sie erinnere sich sicher noch, dass seine Mutter so hieß. Er hoffe sehr, dass diese Katharina irgendwann vor seiner Tür stehen und ihn mit Vater anreden würde. Vielleicht könnte sie das Kind ja später mal zu ihrer Mutter nach Hallschlag schicken. »Sie muss ihr ja nicht sagen, wer der Vater ist, sondern kann auf einem Nachmittagsspaziergang zufällig an meinem Haus vorbeikommen.«

Ich las nicht weiter, sondern holte sofort meinen Atlas. Nach einigem Suchen fand ich Kehr in der Eifel. Ein winziger Punkt genau auf der Grenze zwischen Belgien, Rheinland-Pfalz und Nordrhein-Westfalen. Die grün gefärbte Staatsgrenze wie auch die gestrichelte Landesgrenze verliefen so, dass im Atlas nicht eindeutig zu erkennen war, zu welchem Staat oder Bundesland der Ort gehörte. Aber der Briefmarke nach zu urteilen war dies Belgien. Hallschlag, wo meine Großmutter wohnte und meine Mutter offensichtlich herkam, lag genau daneben auf deutscher Seite. Sofort überlegte ich, ob die unterschiedliche Staatsangehörigkeit dem Glück der beiden im Weg gestanden haben mochte. In Belgien spricht man doch Französisch oder Flämisch ...

»Nicht bei uns in der Deutschsprachigen Gemeinschaft, wir sprechen Deutsch, wie der Name schon sagt«, belehrt mich Langer, tippt auf die *Polizei*-Aufschrift seines Hemds und setzt hinzu: »Ihr Französisch, Frau Klein, ist wahrscheinlich besser als meins, und Flämisch kann ich überhaupt nicht.«

»Bitte ein Camembert-Brötchen«, rufe ich der Kaffee-Kellnerin hinterher und stimme Langer zu, dass meine Eltern wohl auch keine sprachlichen Probleme gehabt hätten. *Meine Eltern.* Habe ich noch nie gesagt. Erst jetzt, da es sie nicht mehr gibt, verleihe ich ihnen diesen Titel.

»Was die Sprache so alles verrät«, flüstere ich und setze hastig hinzu, dass in Berlin Dativ und Akkusativ häufiger verwechselt würden als in Karl Christensens Briefen. Die anderen seltsamen Idiome verschweige ich dem Polizeiinspektor. Ich will ihn ja nicht beleidigen. »Wir kommen parat«, war eine der Lieblings-Formulierungen meines Erzeugers; die streikende Melkmaschine »war in Panne«. Meine Großmutter »holte gar nichts von zu Hause mit«, als sie ein paar Monate nach dem Tod meines Großvaters zu einer gewissen Fine Mertes auf die Kehr gezogen sei. Nach Hallschlag fahre er, »für zu karten«, und dort »habe ich oft kalt, wenn ich an früher denke«. Die Infinitivkonjunktion »um zu« schien ihm ganz fremd zu sein. *Für zu arbeiten, für einzukaufen, für zu bauen, für sicherzugehen, dass man im Alter noch was hat.*

»Sie sind dann also hergekommen, für zu sehen, woher Sie abstammen?«, fragt Langer.

Ich verdonnere die Besserwisserin in mir zum Schweigen.

»Für auszuspannen, erst mal«, passe ich mich leise an und erzähle, wie ich die Poststempel der Briefe zu entziffern versuchte. Der letzte stammte aus dem Herbst jenes Jahres, in dem ich elf Jahre alt wurde. Karl Christensen teilte meiner Mutter mit, wie sehr ihn die Begegnung in Berlin mitgenommen habe. Die kleine Katja sei seinem Sohn Gerd wie aus dem Gesicht geschnitten. Er hoffe aber, dass sie besser mit anderen Kindern auskomme als sein Sohn, der leider keine Spielkameraden finde.

Eine Begegnung in Berlin? Ich konnte mich nicht daran erinnern, dass mir meine Mutter jemals einen Mann vorgestellt hätte. Schon gar nicht meinen Vater.

Der mich gesehen, den ich aber als solchen nicht wahrgenommen hatte. Weshalb hat meine Mutter mir diesen Mann, meinen Vater, der ganz offensichtlich ein Teil meines Lebens hatte sein wollen, vorenthalten? Bis jetzt war ich immer davon ausgegangen, dass er sie im Stich gelassen, möglicherweise sogar aus ihrer Heimat vertrieben hatte. Dass er ein verantwortungsloser Hallodri gewesen ist, der ihre Zukunft zerstört hat. Anna Klein war nach meiner Wahrnehmung das Opfer gewesen.

Nach nur ein paar Zeilen Lektüre änderte sich dieses Bild gründlich. Und der einzige Mensch, den ich mein ganzes Leben lang gekannt habe, nimmt plötzlich fremde Züge an. Hatte sich meine Mutter etwa aus der Not der ungewollten Schwangerschaft eine Tugend gebastelt, nämlich den vermeintlichen Sinn ihres Lebens? Den sie mit niemandem teilen wollte, eifersüchtig für sich behielt? Dann habe ich sie bestimmt gewaltig enttäuscht.

In einem Brief bedauerte er, dass dieses Wesen, das »seinen Lenden entsprungen« war – bei dieser Formulierung wurde mir der Mann sofort unsympathisch –, so fern von ihm aufwuchs.

Mit dem nächsten Satz wurde er mir allerdings wieder sympathischer. Er beschwor meine Mutter nämlich, endlich Geld von ihm anzunehmen. Er bestehe ja nicht mehr darauf, als Erzeuger in den Akten zu erscheinen. Er werde sich auch an die Abmachung halten, das Geheimnis zu bewahren, obwohl er den Grund nicht mehr einsehe: Keiner ihrer Verwandten lebe mehr in der Gegend, nachdem ihre Mutter einen Monat zuvor in Fine Mertes' Haus für immer friedlich eingeschlafen sei.

Ich fragte mich, ob meine Mutter auf diese Weise vom Tod der eigenen Mutter erfahren hatte.

»Deine Großmutter ist schon lange tot.«

Das hatte ich ihr abgenommen, wie so vieles andere auch. Zum Beispiel ihre sehr vage Andeutung, dass ich das Ergebnis einer Vergewaltigung sein könnte. Und nicht, wie ich erst jetzt erfuhr, ein Kind der Liebe. Wie wenig ich meine Mutter doch gekannt habe! Wie schamlos sie mich doch belogen hat! Aber den Mann, von dem die andere Hälfte meiner Gene stammte, den wollte ich endlich kennenlernen.

Ich bewunderte meinen Erzeuger, der über ein Jahrzehnt lang meiner Mutter unermüdlich Briefe geschrieben hatte, wissend, dass er keine Antwort erhalten würde. Keine Liebesbriefe hatten mich je so gerührt, obwohl von Liebe nie die Rede war.

Ich rief die Auslandsauskunft an und erfuhr, dass es unter der angegebenen Adresse keinen Karl, sondern nur einen Gerd Christensen gab. Ich ließ mich verbinden.

»Hallo?«

»Guten Abend, ich heiße Katja Klein, rufe aus Berlin an und hätte gern mit Herrn Karl Christensen gesprochen.«

»Der ist vor zwei Jahren gestorben«, antwortete eine frostige Stimme. »Um was geht es?«

»Um eine sehr persönliche Angelegenheit.«

»Die hat sich mit seinem Tod ja wohl erledigt. Oder ist es etwas, was ich wissen sollte? Ich bin sein Sohn.«

Und ich seine Tochter.

»Nein, ich glaube nicht. Mein Beileid. Ich hoffe, er hat nicht gelitten.«

»Ich wüsste wirklich nicht, was Sie das anginge. Guten Abend.«

Er legte auf.

Marcel Langers Augenbrauen sind wieder hochgeschnellt.

»Also standen Sie doch im Kontakt mit Ihrem Bruder!«

»Das nenne ich nicht Kontakt, sondern eine Abfuhr«, gebe ich wütend zurück. Was ist eigentlich in mich gefahren, mein Innenleben vor einem unausgeschlafenen Polizisten derart auszubreiten? Der nur darauf wartet, dass ich irgendetwas Belastendes von mir gebe. Der jetzt im Geiste eine Linie von dieser Abfuhr zu einem Mord zieht.

Ich erwäge etwas Versöhnliches über den mir unbekannten Bruder nachzuschieben, werde aber von Langers Kollegen unterbrochen, der soeben den Gastraum betritt.

»Eupen ist da.«

»Die föderale Polizei«, übersetzt Langer für mich, »Staatsanwaltschaft und Spurensicherung.« Er winkt den Kollegen weg: »Ich komme gleich. Frau Klein ist mit ihrer Aussage noch nicht fertig.«

Aussage. Beichte wäre wohl ein besseres Wort gewesen. Nicht Mord-Beichte. Lebensbeichte. Mit der ich trotz meines Ärgers gleich fortfahre: »Jedenfalls hat mich mein Vater auf der Grünen Woche in Berlin gesehen. Davon gibt es sogar einen Schnappschuss.« Ich ziehe das Foto aus meiner Handtasche und schiebe es Langer hin. Er vertieft sich in den Anblick des von Vater und Mutter umrahmten pummligen Mädchens unter einem Schild, das Ardenner Schinken, Bier und Spezialitäten aus der belgischen Eifel anpreist.

Ich deute auf die zwei prall gefüllten Plastiktüten zu unseren Füßen. »Hier hat meine Mutter mit unfairen Mitteln nach Essen gejagt«, sage ich.

Die Grüne Woche, diese internationale Fressbörse, war unser Urlaubsersatz und ein bedeutend größerer winterlicher Höhepunkt als Weihnachten. Wir lebten und sparten in den Sechzigern und Siebzigern darauf hin, uns jeden Januar durch die Hallen am Funkturm fressen zu können. Deftiges aus deutschen Landen und Exquisites aus exotischen. Mit einem harmlosen Trick gelang es uns in meinen frühen Kinderjahren immer wieder, mehr als die kostenlosen Happen zu ergattern. An besonders verlockenden Ständen ließ ich meine Kulleraugen rollen und tat, als ob ich nach der ausgestellten Ware greifen wollte. Meine Mutter schlug mir auf die Finger und schimpfte, worauf ich sofort zu weinen ansetzte. In den meisten Fällen zeigten die Standbetreuer ein Herz für Kinder, ermahnten meine Mutter, nicht so streng zu sein, und überreichten mir irgendein ausgestelltes Produkt. Dem Foto nach zu urteilen, hat sie sich am Eifelstand nicht mit Kleinigkeiten abgegeben.

Sogar jetzt meldet sich bei mir wieder so etwas wie Wut. »Bestimmt hat meine Mutter meinem Vater gar keine Gelegenheit gegeben, mich zu sehen, sondern wir sind ihm auf der Grünen Woche rein zufällig begegnet«, sage ich.

»Seltsam, dass schon damals für die Eifel geworben wurde«, meldet sich Langer ungläubig. »Man hat sich früher doch geschämt, von hier zu kommen, aus Preußisch-Sibirien. Sogar Kaiser Wilhelm sagte mal, die Eifel wäre ein trefflich schönes Land, gäbe es da nicht dieses hinterlistige Bergvölkchen – und damit meinte er uns.«

Kaiser Wilhelm? Für wie alt hielt er mich?

»Anfang der Siebziger war Willy Brandt Bundeskanzler«, belehre ich ihn und erzähle, wie ich versucht habe, mich in die Situation von Karl Christensen zu versetzen. Aus der Lektüre der Briefe wusste ich, dass ihm meine Mutter nie geantwortet hatte. Nur zufällig kreuzte sie seinen Weg auf der Grünen Woche. Endlich hatte er die einmalige Gelegenheit, seine Tochter zu verwöhnen. Und immer wieder flehte Karl Christensen meine Mutter an, in die Eifel zurückzukehren. Wie hatte er sich das denn vorgestellt? Da er auch ständig seinen Sohn Gerd, »ein schwieriger Junge, ganz anders als andere, gleichzeitig faul und ehrgeizig und fürs Landleben ungeeignet«, erwähnte, war er wohl kaum in der Lage, meine Mutter zu einer ehrbaren Frau zu machen. Aber nie schrieb er von einer anderen Frau, schon gar nicht von seiner eigenen. Dafür umso mehr von meinem Halbbruder. Später klagte er darüber, dass sich der Junge so gar nicht für den Hof interessiere und seinen Kopf dauernd in Bücher stecke, weil die anderen Kinder mit ihm nicht spielen wollten.

Das Leben sei immer noch recht hart am Fuße der Schneifel, berichtete er, aber zum Glück gebe es ja die Grenze, und der Schmuggel verschaffe den meisten Leuten nach wie vor ein zumindest kleines Auskommen. Obwohl es manchmal schwierig sei, den Kaffeeduft in den Särgen zu halten und die Schweine mit Korn ruhigzustellen ...

Ich breche meine Erzählung ab. Unklug, so etwas einem Polizisten zu verraten. Einem schmuggelnden Vater traut man eher eine mordende Tochter zu. Marcel Langer scheint meine Gedanken zu lesen. Er macht eine wegwerfende Handbewegung.

»Längst verjährt«, sagt er, »meine deutschen Verwandten haben damals auch wegen Schmuggels im Knast gesessen. Wie jeder Bürger der Kehr, der heute über siebzig ist. Gilt nicht als Makel, die Leute waren hungrig und hatten den Muckefuck satt. Aber reden Sie doch weiter. Sie haben die Briefe gelesen. Was geschah dann?«

»Dann kam der nächste Schicksalsschlag. Wegen einer Fliegerbombe aus dem Zweiten Weltkrieg wurde ich aus meiner Wohnung vertrieben.«

»Und haben sich mit dem Geld Ihrer Mutter ein schönes Hotelzimmer geleistet«, stellt Langer fest.

»Nein«, erwidere ich. »Als ich auf das Bündel Scheine blickte, die meine Mutter so mühsam zusammengetragen haben musste, erschien mir der Gedanke unerträglich, für ein Nachtlager mehr Geld auszugeben, als meine Mutter in einer Woche verdient hatte. Das Bezirksamt richtete uns Vertriebenen Notlager in meiner alten Grundschule ein.« Ich seufze. »In der Turnhalle.«

»Oje«, Langers Betroffenheit klingt echt. »Böse Erinnerungen.«

»Was wissen Sie schon davon!«

»Viel«, erwidert Langer leise. »Ich war ein äußerst schmächtiger Knabe.«

Zum ersten Mal betrachte ich ihn voller Wohlwollen. »Dann wissen Sie wirklich Bescheid«, gebe ich zu. Ohne es auszusprechen, hängen wir beide ein paar Sekunden lang schrecklichen verbindenden Erinnerungen nach. An missglückte Bodenübungen, an Martergeräte, die uns der Lächerlichkeit preisgegeben hatten, an die Demütigung, beim Volleyball als Letzte irgendeiner Gruppe zugeordnet zu werden, die dann laut aufstöhnte.

»Tja«, breche ich das durchaus angenehme Schweigen, »da lag ich auf einem Klappbett und sah über mir die hochgezogenen Ringe, an denen ich einst verzweifelt gestrampelt hatte. Mit dem Gedanken an diese Ringe muss ich eingeschlafen sein, denn im Traum legten sie sich mir um den Hals und schnürten mir die Luft ab. Die Turnlehrerin sah streng zu mir auf: ›Ringe um die Wahrheit!‹ Als mich meine Mutter mit dem Schrubberstiel aus meiner unglücklichen Lage befreite, plumpste ich zu Boden und wachte auf. Es war fünf Uhr früh, und ich beschloss, keine Minute länger im Muff meiner eigenen Vergangenheit zu verweilen. Meine Mutter hatte von Bergen und Wäldern gesungen. Ich brauchte jetzt einen Ort, an dem ich tief durchatmen konnte. Wo ich mein Leben wieder selbst in die Hand nehmen konnte. Eine Kehrtwendung war dringend angesagt. Kehr. Warum nicht Kehr?«

Plötzlich fällt mir wieder ein, weshalb ich diesem Mann gegenübersitze. Doch nicht, weil wir in einer Selbsthilfegruppe unsere Turnstundentraumata aufarbeiten wollen! Wieder wütend über meine Offenherzigkeit, starre ich den Polizisten an. »Ich wollte nur aus der Opferrolle der letzten Tage raus – und schwupps, kaum bin ich hier, werde ich zur Täterin abgestempelt.«

»Bisher hat Sie niemand angeklagt. Dies ist nur eine erste Vernehmung. Erzählen Sie doch bitte weiter, Frau Klein. Das ist alles sehr interessant.«

Ich erwäge kurz, mich noch interessanter zu machen. Ihm zu erzählen, dass ich noch vor drei Wochen in Paris die Gattin des französischen Staatspräsidenten nach ihrem Lieblingsparfüm befragt habe. Und von meiner Begegnung mit Sophia Loren, die mir die gesundheitlich unbedenklichsten Methoden des Fettabsaugens nahegelegt hatte. Na ja … Diesem ungebügelten Hungerhaken von Dorfpolizisten mit den Modderrändern an den Schuhen könnte ich so manche selbst erlebte Geschichte aus der Welt der Reichen, Schönen und Mächtigen erzählen. Mir schwant jedoch, dass ihn dies wenig beeindrucken, sondern mich eher noch verdächtiger machen könnte. Zumal ich jetzt keine Hochglanz-Zeitschrift mehr im Rücken habe, die mir bis vor wenigen Tagen eine globale Identität und damit Schutz vor banaler Belästigung verliehen hat. Katja Klein ist jetzt nur noch eine weitere Arbeitslose der Republik. Nichts ist armseliger als der Versuch, mit verwelkten Lorbeeren zu punkten. Also halte ich mich an die Story meiner Ankunft auf der Kehr.

»Am frühen Morgen ließ ich Berlin hinter mir und reiste meinem einzigen noch lebenden Familienmitglied entgegen – das von meiner Existenz wahrscheinlich gar nichts wusste«, fahre ich mit besonderer Betonung des letzten Satzteils fort.

»Ohne noch mal anzurufen?«

»Wo denken Sie hin!«

Sollte er mir die Tür vor der Nase zuschlagen, wollte ich einfach Urlaub in einer Gegend mit gesunder Luft machen, sage ich, und darüber nachdenken, was jetzt aus mir werden sollte.

Das konnte ich am besten beim Essen. Also hielt ich an einer Autobahn-Raststätte an und ließ mir auf die Kohlroulade einen Matjeshering legen. Diese Komposition bedeckte ich mit einer Mischung aus Tütchenmayonnaise und Aprikosenkompott, um dem Fleisch die Trockenheit und dem Hering das Ranzige zu nehmen. Unter den entsetzten Blicken der Erwachsenen und den begeisterten der Kinder bestellte ich noch eine Brühwurst zum Mitnehmen.

Da erwog ich zum ersten Mal, Berlin für immer zu verlassen und irgendwo ganz neu durchzustarten. Dieser Gedanke kam mir weniger abenteuerlich vor als der, mir in einer billigen Berliner Bude ständig vor Augen halten zu müssen, was ich alles verloren hatte.

Wenn schon Suppenküche, dann lieber in der Fremde. Dort werden die Blessuren des Welteroberers geachtet, die des Einheimischen geächtet. Aber so weit war ich noch lange nicht. Was sprach dagegen, sich in meinem Alter eine neue Existenz aufzubauen? Bei näherer Betrachtung derartig viel, dass mir fast schwarz vor Augen wurde. Aber vielleicht lag das auch an der kurzen Nacht und der schweren Mahlzeit.

Die Welt erobern kann ich auch später, dachte ich, als ich kurz hinter Köln in meinem Wagen die Rückenlehne verstellte und die Augen schloss.

Mit schmerzenden Knochen wachte ich ein paar Stunden später auf, froh, dass die momentan zu erobernde Welt in der Eifel und somit nicht mehr allzu weit entfernt lag. In Blankenheim endete die Autobahn, und so fuhr ich über die B51 durch eine dünn besiedelte Landschaft mit sanften Hügeln, großartigen Aussichten, kleinen Gehöften und vielen Wäldern. Ich wurde von unzähligen Wagen mit gelben Kennzeichen überholt, parkte in einer Einbuchtung und vergewisserte mich auf der Karte, dass ich weder in Holland noch in Luxemburg gelandet war. Kronenburg hieß der nächste Ort, ganz in der Nähe meines Ziels. Fast hätte ich die Ausfahrt verpasst, die gleich hinter einer Biegung lag. Eine schmale kurvenreiche Straße erforderte besondere Aufmerksamkeit, aber aus den Augenwinkeln sah ich rechts auf dem Berg eine Burgmauer und links einen See in der Sonne glitzern. Plakate an Bäumen wiesen auf Ausstellungen, Dichterlesungen und Disko-Abende hin. Vielleicht war der Hund hier doch nicht ganz so tief begraben, wie ich es nach der Lektüre von Karl Christensens Briefen geglaubt hatte.

Auf jeden Fall sind die Leute energiemäßig auf der Höhe, dachte ich, als vor mir ein ganzer Wald an Windrädern auftauchte. Auf der Straße zur Linken wies ein Schild auf »Die Hexenküche« hin, ein winziges Ausflugslokal nahe einer Autowaschanlage. Mein Vater hatte seine letzten Briefe vor mehr als dreißig Jahren abgesandt. Irgendetwas würde sich in der Zwischenzeit bestimmt auch in der Eifel getan haben.

»Warum hat Ihnen Ihre Mutter diese Briefe überhaupt zukommen lassen?«, unterbricht mich Langer. »Sie hätte sie auch einfach vernichten können. Dann hätten Sie ihr Andenken in Ehren hochgehalten, nie erfahren, wo Sie väterlicherseits herstammen und sich wohl damit abgefunden.«

Diese Frage stelle ich mir auch immer wieder und beantworte sie genauso. Aber wenn dieser verwuschelte Polizist mit der schief hängenden Krawatte, dem ungebügelten Hemd, den dreckigen Schuhen und dem schrägen Schnurrbart so einfühlsam ist, kann er mich doch nicht ernsthaft für eine Mörderin halten!

»Meine Mutter kannte mich«, erwidere ich. »Sie

wusste, dass die Lektüre auch Zorn in mir auslösen würde.«

»Vielleicht hat sie genau das gewollt«, sinniert Langer. »Dass Sie ihr Andenken eben nicht nur in Ehren hochhalten, sondern mit Ihrem Zorn und Ihrer Wut etwas anfangen.«

Vielleicht etwas, das mein eigenes Leben heißt? Nicht länger nur beobachten und darüber berichten? Nicht länger auf die Freistunden eines verheirateten Mannes warten? Mich nicht länger aus allem raushalten, sondern mich einbringen. Zum Beispiel in eine Mordgeschichte? Tolle Idee!

»Sie meinen, meinen Bruder umbringen?«, fauche ich. Jetzt bloß nicht wieder sentimental werden.

»Sie sind eine gute Zeugin, Frau Klein, denn Sie erinnern sich offenbar an jedes Detail. Ich will genau wissen, was sich alles zugetragen hat und was Sie beobachtet haben, als Sie hier bei uns eintrafen.«

»Ich denke, Eupen wartet«, sage ich in freundlicherem Ton. Zeugin klingt erheblich besser als Verdächtige.

»Eupen arbeitet am Tatort«, sagt Langer. Er steht auf und schreit in den Gastraum nach bitte schön noch mehr Kaffee. »Das braucht Zeit, also lassen Sie in Ihrer Erzählung nichts aus.«

Nun, wenn er darauf besteht, werde ich ihn eben mit Details bombardieren.

In der Hochsommersonne wirkte Hallschlag wie ausgestorben. Keine Kneipe, keine Tankstelle, keine Apotheke, kein Krämerladen, kein Mensch auf der Straße, den ich nach der Adresse fragen konnte. Ich hielt den Wagen an der einzigen Kreuzung an und wartete.

Nach einer Weile öffnete sich die Tür eines Hauses und ein alter Mann in blauen Hosen und kariertem Hemd schlurfte heraus. Ich stieg aus, ging auf ihn zu und fragte ihn, wie ich nach Kehr in Büllingen käme. Er schüttelte den Kopf.

»Zu wem wollt ihr denn?«

Wie Betrunkene sehen wohl auch alte Leute manchmal doppelt, dachte ich.

»Zu Gerd Christensen.«

»Ah, ja.«

Er musterte mich von oben bis unten.

»Wissen Sie, wo der wohnt?«, hakte ich nach.

»Ja.«

»Können Sie mir den Weg beschreiben?«

»Ja.«

Ich sah ihn erwartungsvoll an. Er mich auch.

»Wie muss ich fahren?«, fragte ich leicht verzweifelt.

Der alte Mann kratzte sich an der Nase, verlagerte sein Gewicht aufs andere Bein und fragte: »Ihr wollt also zum Christensen Gerd?«

»Ja«, erwiderte ich.

»Auf der Kehr?«

»Ja.«

»Belgien«, schien er zu überlegen.

»Ich weiß. Ist es noch weit?«

»Nein.«

»Und wie komme ich da hin?«

Eigentlich rechnete ich gar nicht mehr mit einer Antwort, mit der ich etwas anfangen konnte, aber plötzlich sprudelte es aus dem Mann heraus: »Das ist ganz einfach. Da fahrt ihr noch ein Stück geradeaus, dann da hinten, wo ihr das Haus seht, links, da ist das Gemeindehaus, aber da fahrt ihr nicht dran vorbei, dann kommt ihr nämlich nach Ormont, da wollt ihr ja nicht hin, sondern ein bisschen rechts, den Berg rauf, da am Leuchtturm, aber ihr könnt jetzt auch noch hier auf der Straße ein Stück geradeaus fahren, bis zu …«

»Vielen Dank«, sagte ich und stieg ein, ohne die Frage »Was wollt ihr vom Gerd?« zu beantworten.

Bei der Kirche wollte eine alte Frau die Straße überqueren. Ich hielt an und stellte meine Frage. Auch sie redete mich in der zweiten Person Mehrzahl an. Ich fragte mich, ob mich ein nur für Greise sichtbarer Geist in meinem Auto begleitete. Bis mir aufging, dass in der Anrede die Zeit hier stehen geblieben war und noch das Ihr und Euch galt, das ich aus Ritterromanen kannte. Ich bog an einem Spielplatz mit Leuchtturm rechts ab, fuhr einen mit Windrädern verspargelten Hügel hinauf, kam an drei, vier vereinzelten Höfen vorbei, geriet wieder auf eine Hauptstraße und war nach nochmaligem Nachfragen in einem seltsam modern anmutenden Autohaus – ich musste wenden und zweihundert Meter zurück – endlich am Ziel. Ein verkommener Hof mit mehreren Anbauten. Nirgendwo auch nur eine Spur aktiver Landwirtschaft.

Es gab kein Namensschild und keine Klingel. Ich

holte tief Luft und klopfte. Ein fürchterliches Hunde-gebell setzte ein.

»Aber niemand machte mir die Tür auf«, sage ich beschwörend zu Marcel Langer. Ich habe aufgehört, seine Tassen Kaffee zu zählen. Wahrscheinlich befürchtet die drahtige Kellnerin, mein Geständnis zu verpassen, wenn sie ihm eine Literkanne hinstellt. »Dann bin ich über die Hauptstraße den Berg runtergefahren und habe hier im Hotel eingecheckt.«

Der Polizeiinspektor wickelt den Keks aus, der auch neben diesem Kaffee schlummert, und reicht ihn mir. Ich zerkrümle das winzige Teil über mein Camembert-brötchen, tröpfele etwas Kaffeesahne darüber, kröne das Ganze mit der Johannisbeerdekoration und beiße hinein. Langer schaut mir andächtig zu, schweigt, bis ich ausgekaut habe, und fragt dann wie nebenbei: »Wann sind Sie eigentlich in die Krippana eingebrochen?«

»Ich bin nicht eingebrochen! Das Gatter stand heute früh sperrangelweit offen, und als ich den Esel schreien hörte, bin ich aus Neugier einfach durchgegangen. Ins Gebäude bin ich gar nicht erst gekommen ...«

»Stehen Sie immer vor den Hühnern auf?«

»Nein! Aber ich war gestern Abend schon kurz nach acht im Bett ...«

»Haben Sie dafür Zeugen?«

»Woher denn? Nach all den Aufregungen wollte ich endlich ausschlafen. Da war ich gegen fünf natürlich hellwach.«

Der Polizist unterdrückt ein Gähnen.

»Genau die richtige Zeit, für sich unsere berühmte Krippana anzusehen.«

»Um sich!«, belle ich ihn an.

»Um sich was?«, fragt er verwirrt.

Ich gebe auf.

»Um einen Spaziergang zu machen. Ich habe den Weg hinter dem Hotel eingeschlagen.«

»Weit sind Sie aber nicht gekommen. Hören Sie, Frau Klein, es ist immer noch sehr früh am Morgen ...« Er sieht auf einmal wieder aus, als sehne er sich nach seinem Bett. »Sie könnten sich und uns allen viel Zeit und Ärger ersparen, wenn Sie endlich zugeben, dass Sie sich gestern Abend dort mit Ihrem Bruder verabredet haben!«

Er hat mir überhaupt nicht zugehört.

Ich greife dem Polizisten über den Tisch an beide schmale Schultern und kann mich nur mit Mühe zurückhalten. Am liebsten würde ich ihn gründlich durchschütteln.

»Auf der Kehr hat mir niemand geöffnet! Ich habe meinen Bruder nie gesehen!« Und weil ich nicht der Lüge überführt werden will, setze ich schnell hinzu: »Jedenfalls nicht lebend!«

»Das widerspricht der Aussage von Frau Mertes«, sagt Marcel Langer und nimmt meine Hände sanft von seinen Schultern. »Die Putzfrau der Krippana wohnt Ihrem Bruder direkt gegenüber. Sie hat Ihr Auto auf dem Hofgelände von Gerd Christensen eindeutig identifiziert. Und gesagt, dass er Ihnen geöffnet hat. Sie glaubt sogar, aufgeregte Stimmen gehört und ein

Handgemenge gesehen zu haben. Für zu lügen, hat die Frau keinen Grund.«

Er erhebt sich. »Kommen Sie bitte mit, der Untersuchungsrichter aus Eupen wartet nebenan.«

»Klar«, sage ich bitter. »Die Putzfrau ist glaubwürdiger, weil sie von hier stammt. Ich bin die Fremde. Ein gewichtiges Argument gegen mich.«

»Nein«, sagt Langer. »Nicht das Fremde.« Wie liebenswürdig, jetzt nicht meine Statur gegen mich in die Waagschale zu werfen! Er bleibt höflich: »Es hätte auf das Strafmaß positiven Einfluss, wenn Sie in vollem Umfang geständig wären.«

Klar doch, in vollem Umfang.

Tag 2, Sonnabend, mittags

Always Look on the Bright Side of Life kommt es scheppernd aus den Tiefen meiner Handtasche. Hastig zerre ich mein Handy hervor, drücke auf die Taste und rufe hinein: »Kann ich mich jetzt endlich frei bewegen?«

»Daran habe ich dich nie gehindert«, tönt die Stimme des Mannes, dem ich zugestanden habe, mich vierzehn Jahre lang an allem Möglichen zu hindern. Einen potenziellen Ehemann kennenzulernen, Kinder zu kriegen, einen Freundeskreis aufzubauen, mich von meinem Lebensmittelpunkt zu entfernen oder mich einfach nur frei zu bewegen. Die Stimme, auf die ich so oft vergeblich gewartet habe, nervt jetzt nur. Ich erwarte Langers Anruf, die frohe Botschaft, dass mich nicht länger das Gefängnis erwartet. Begreife aber, dass ich endlich aus einem Gefängnis ausgebrochen bin, in das ich mich vor langer Zeit selbst eingewiesen habe.

»Es ist vorbei«, sage ich wie schon so oft in den vergangenen Jahren. Aber zum ersten Mal ganzherzig, und noch nie ist bei diesem Satz ein so wohliges Gefühl in mir aufgestiegen.

»Man muss ja nicht alles so endgültig sehen«, setzt er wieder an.

»Man muss gar nichts«, beende ich fröhlich das Gespräch, drücke auf den Knopf und widme mich wieder der Kalbsleber, die genauso blutig gebraten und mit Salbei gewürzt ist, wie ich es gern habe. Ananas-Ingwer-Marmelade vom Frühstücksbuffet verleiht der Komposition noch eine feinere Note. Während ich Blätter des Endiviensalats unter den Kartoffelbrei menge, meldet sich das Handy wieder.

»Ich habe nichts mehr zu sagen«, spreche ich mit vollem Mund hinein.

»Aber ich«, meldet sich Marcel Langers Stimme. »Sie haben geerbt. Wir haben das Testament Ihres Vaters gefunden.«

Rasch schlucke ich den Happen runter.

»Aber der ist doch schon vor zwei Jahren gestorben!«

»Ihr Bruder hat das Testament damals nicht vorgelegt.«

»Was bedeutet das für mich?«

Ich rechne mit dem Hinweis auf ein Mordmotiv. Langer überrascht mich: »Dass Sie keine tausend Euro Miete mehr zu bezahlen brauchen. Sondern viel mehr Geld investieren müssen, um diesen verkommenen Hof wieder herzurichten.«

»Ist das momentan meine einzige Sorge?«, frage ich misstrauisch.

»Nein«, sagt er. »Für sich die andere anzusehen, müssten Sie schon herkommen. Am besten sofort. Sie wissen ja, wo es ist.«

Ich bestreiche ein Vollkornbrötchen mit der Ananas-

Ingwer-Marmelade, schiebe den Rest der Kalbsleber zwischen die Hälften und wickele dieses Überbleibsel meines Mittagessens in eine Papierserviette. Das Bündel ruht auf dem Beifahrersitz, als ich den Berg hinauf ins Örtchen Kehr fahre.

Etwa zweihundert Meter vor dem modernen Autohaus und hundert hinter dem grünen Schild *Kehr* biege ich rechts von der bundesdeutschen Straße in den väterlichen Hof ein und befinde mich somit wieder in Belgien.

Als ich aussteige, blicke ich über die Straße nach Nordrhein-Westfalen und sehe aus den Augenwinkeln eine kleine schmale Gestalt ins verklinkerte Haus gegenüber huschen. Klar, Frau Mertes, die Putzfrau, die mein Auto und ein Handgemenge gesehen sowie aufgeregte Stimmen gehört haben will. Kurz überlege ich, wie viele aufgeregte Stimmen ich in meiner Berliner Mietskaserne nie gehört haben mochte – und da sollte es möglich sein, einen Streit quer über eine Bundesstraße zu vernehmen? Nun, selbst am helllichten Tag herrscht hier bis auf ein undefinierbares hektisches Schwirrgeräusch tatsächlich erstaunliche Stille.

Noch bevor ich die Autotür wieder zuschlagen kann, stürzt ein riesiger schwarzer Kugelblitz auf mich zu. Entsetzt springe ich zur Seite. Der Höllenhund, denn ein solcher muss es sein, beachtet mich überhaupt nicht. Er hopst zielstrebig auf den Fahrersitz, schnappt sich mein Mittagessen und verschlingt es augenblicklich.

»Linus hat leider überhaupt keine Manieren«, begrüßt mich Marcel Langer. Er tritt näher heran und klopft dem schwarzen Ungeheuer zärtlich auf die Hinterflanken. Der Hund lässt sich rückwärts aus dem Wagen gleiten und wendet sich mir mit heraushängender Zunge und einem unverschämt dankbaren Blick zu.

»Rufen Sie Ihren Köter zurück!«, schreie ich und umklammere unwillkürlich den Arm des Polizisten. Ein grässlicher Hund. Zwischen weit geöffneten Lefzen blitzt kurz ein Fetzen blutiger Papierserviette auf. Das Tier lässt sich mir zu Füßen nieder, stößt einen fiependen Laut aus, der eher zu einem Schoß- als einem Bluthund passt, legt den riesigen Kopf zur Seite und mustert mich aus braunen Augen.

»Der Hund kennt Sie«, bemerkt Langer.

»Woher denn!«, gifte ich.

Langer wirft mir einen vorwurfsvollen Blick zu. Ich ihm auch.

»Es ist nicht mein Hund, sondern Ihrer«, setzt der Polizist hinzu. »Jedenfalls jetzt.«

Ich lasse Langers Arm los, weiche zurück und erkläre: »Nee. Den behalten Sie mal schön selbst.«

Als Berlinerin bin ich schon in zu viele Hundehaufen getreten, als dass ich einem solchen Haustier – Haustier? In diesem Fall wohl ganz klar Raubtier! – auch nur einen wohlwollenden Gedanken schenken kann. Hunde sind fast so unerträglich wie Kinder.

»Linus gehört zur Erbmasse«, fährt Langer fort.

»Ein verträumtes Kind mit Schmusedecke?«, frage ich. Das Raubtier beginnt zu hecheln.

»Guter Hund«, sagt Langer zu ihm, und zu mir: »Wir sprechen hier nicht von Peanuts.«

Ich seufze. Bescheuerter Versuch, einen belgischen Polizisten mit einem Comic irritieren zu wollen.

»Halten Sie mir diesen Struppi vom Leib!«

»Das Original heißt Tintin«, verbessert mich Langer mit einer Würde, die zwar vorzüglich zu seinem jetzt frisch gebügelten Hemd passt, aber weniger zu dem roten Streifen am Hals. Zu viel Stärke kann schwächen. »Und der hier heißt eben Linus. Wenn Sie den Hund Ihres Bruders nicht übernehmen wollen, wird er eingeschläfert.«

»Was?«, rufe ich entsetzt. »Gibt es hier kein Tierheim?«

»Das ist überlastet.«

»Und Nachbarn?« Ich deute auf den Hof gegenüber, wo sich eine Gardine bewegt.

»Die haben selbst Hunde. Und außerdem ist das Deutschland.«

»Wie soll ich mich um einen Hund kümmern, wenn Sie mich einbuchten wollen?«

Linus knurrt.

»Davon ist überhaupt noch nicht die Rede.«

Noch nicht. Diesmal hat er es wirklich gesagt.

»Haben Sie Material gefunden, das mich entlastet?«, frage ich.

»Noch nicht«, wiederholt Langer. »Wir haben seit gestern früh das Haus durchsucht und alles mitgenommen, was uns Hinweise geben könnte, Festplatte, Aktenordner, den gesamten Schreibtischinhalt und so weiter.

War ein interessanter Mann, Ihr Herr Bruder, hat sich eine Menge Feinde gemacht.«

Das klingt sehr beruhigend.

Mit einer sparsamen Handbewegung lädt mich Langer ein, ihm ins Haus zu folgen. Linus trottet hinterher. Er scheint offensichtlich nichts dagegen zu haben, dass sich Fremde seines Territoriums bemächtigen.

Durch einen sehr dunklen Flur betreten wir ein geräumiges Wohnzimmer, dessen Fenster sich zu Deutschland hin öffnen.

Langer lässt sich auf einen ungeheuer voluminösen Polstersessel fallen und deutet auf einen dazu passenden Schwellkörper in Sofaform. Hierauf hätten vier Frauen meiner Statur Platz nehmen können. Ich komme mir fast zierlich vor, als ich mich in dieser Landschaft niederlasse und dabei ziemlich viel Staub aufwirbele. Auf dem niedrigen breiten Eichentisch liegt vor einem mit Zigaretten- und Zigarillokippen überquellenden Aschenbecher ein Blatt Papier, eng in jener Handschrift beschrieben, die mir in den vergangenen Tagen so vertraut geworden ist.

»Lesen Sie!«

Das tue ich.

Schon im ersten Satz bestimmt Karl Christensen, dass sein gesamtes Hab und Gut zwischen seinen beiden Kindern Gerd Christensen und Katharina Klein – mit korrekter Berliner Anschrift meiner Mutter – aufgeteilt werden soll.

»Ich habe diesem Gerd meinen Namen genannt, als ich anrief«, sage ich. »Also wusste er genau, wer ich war!«

»Und hat Ihnen eine Abfuhr erteilt.«

»Und dann bin ich hergekommen und habe ihn deswegen mit einem Bergkristall erschlagen?«

»Wäre eine Möglichkeit. Warum haben Sie ihm denn nicht gesagt, dass Sie seine Schwester sind?«

»Warum hat er selbst nicht nachgefragt?«

»Das liegt wohl auf der Hand«, erwidert Langer, »er wollte nicht teilen. Das hat er Ihnen sicher auch gesagt, als Sie ihn so plötzlich heimgesucht haben und es zu einem Handgemenge gekommen ist.«

Ich deute auf die pudrige Substanz, mit der die Holzlehne des Sofas eingestäubt ist.

»Meine Fingerabdrücke haben Sie im Haus aber nicht gefunden.« Die hatten mir die Spurensucher gestern noch vor Ort abgenommen.

»Wahrscheinlich hat Sie Ihr Bruder gar nicht reingelassen«, entgegnet er. »Sondern sich mit Ihnen in der Krippana verabredet. Warum haben Sie sonst im Hotel daneben eingecheckt? Sie hätten ja auch nach rechts Richtung Prüm fahren und im Mooshaus übernachten können.«

»Reiner Zufall«, rücke ich die Wahrheit ein wenig zurecht. Ich stehe auf, öffne die Tür eines riesigen Eichenbuffets und nehme eine Tasse mit Streublümchenmuster heraus. Meißener Porzellan. Hätte ich nie in einem Eifeler Bauernhaus erwartet.

»Was hat mein Bruder eigentlich beruflich gemacht?«

»Geschrieben.«

»Ach!«

»Nicht so wie Sie für Zeitungen. Er hat offiziell Firmenchroniken geschrieben und unter der Hand Promotionsschriften für andere verfasst.«

Alle Achtung, denke ich, sage aber laut: »Das ist strafbar.«

»Richtig. Und seine ... sagen wir mal ... Klienten lieferten sich ihm damit natürlich aus.«

»Erpressung!«, rufe ich.

»Durchaus eine Möglichkeit. Wird derzeit geprüft.«

»Sein Fachgebiet?«

»Quer durchs Gemüsebeet, aber vornehmlich im sozialwissenschaftlichen Bereich.«

Laberfächer, denke ich, schon weniger beeindruckt und frage: »Woran hat er denn als Letztes gearbeitet?«

Marcel Langer blickt auf einen Zettel und liest vor: »*Der Faltenwurf christlicher Marienstatuen im Wandel der Zeiten und Kulturen.* Die Arbeit davor war ein wenig ...«

»Brisanter?«, unterbreche ich ihn, stelle die Tasse ab und fahre den Faltenwurf einer sehr bunt bemalten Marienstatuette auf dem Buffet nach. Toll, über was man alles Doktorarbeiten schreiben kann.

»In der Tat. *Profitorientierte Fluchthilfe an der belgischen Grenze im Zweiten Weltkrieg.*«

»Sehr lange her«, bemerke ich, wenig interessiert.

»Mit durchaus aktuellen Auswirkungen. So manche Leute haben jüdischen Flüchtlingen ihr ganzes Vermögen abgenommen, um sie über die Grenze zu bringen. Und nach dem Krieg haben sie sich dann auf ihren neu erworbenen Grundstücken als Widerstandskämpfer feiern lassen. Ja, solche Herrschaften gab es.«

»Hier auf der Kehr?«, frage ich und starre auf das Testament meines Erzeugers. Ein solches Erbe will ich nicht haben.

Langer hebt die Schultern. »Möglich.«

Er steht auf und sieht mich traurig an.

»Linus hat Sie erkannt. Da bin ich mir ganz sicher.«

Würde er denn nie aufgeben? Wütend starre ich auf den Hund, der sofort auf den frei gewordenen Sessel gesprungen ist und sich dort behaglich niederlässt.

»Er hat eben meine Gene gerochen!«, blaffe ich.

»Frau Klein ...« Er greift sich an den Hals.

»Nicht kratzen!«, sage ich schnell, »davon wird der Ausschlag nur schlimmer. Ziehen Sie sich lieber wieder Ihr ungebügeltes Hemd mit dem weichen Kragen an.«

»Und Sie ziehen am besten hier ein«, sagt er unvermittelt.

»Ich soll in diesem versifften Geisterhaus wohnen?«

»Bis der Fall geklärt ist, müssen Sie sich uns zur Verfügung halten. Sie können auch weiter im Hotel bleiben. Dann veranlasse ich eben die Einschläferung von Linus.«

Netter Versuch. Wenn ich zulasse, dass meinetwegen ein Wesen getötet würde, käme ich einem möglichen Richter als Mörderin meines Bruders noch glaubhafter vor. Ich habe keine Wahl.

»Darf ich mich wenigstens frei bewegen?«, frage ich und deute zum Fenster hin. »Die Straße ist schon Deutschland. Da bin ich doch außerhalb Ihres offiziellen Einzugsbereichs.«

»Stimmt, aber im Grenzgebiet kann man eine Ausnahme machen«, sagt er müde. »Wir in der DG arbeiten eng mit den deutschen Kollegen zusammen.«

»DG?«

»So heißt die Deutschsprachige Gemeinschaft Belgiens. Habe ich Ihnen doch gestern schon gesagt.«

»Deutsche Belgier?«

»Um Himmels willen, Frau Klein, so etwas dürfen Sie nicht einmal denken, geschweige denn laut aussprechen!«

»Was sind Sie denn dann, Flame oder Wallone?«

Er seufzt tief und bringt etwas gequetscht hervor: »Die DG gehört zur Wallonie. Aber wir haben einen eigenen Ministerpräsidenten und drei Minister.«

»In Brüssel?«

»In Eupen«, antwortet er, steigt in seinen Jeep ein und ruft noch: »Im Gegensatz zum Rest der Wallonie und zur Bundesrepublik stehen *wir* wirtschaftlich bestens da. So gut wie keine Arbeitslosen.«

Aus Rücksicht auf den Stolz einer kleinen Minderheit in einem kleinen Land verkneife ich mir, den bekanntesten Satz aus allen Asterixheften zu zitieren. Ich lasse den ersten DGler meines Lebens ziehen, betrachte voller Misstrauen den ersten Hund, dem ich das Leben gerettet habe, und mache meinen ersten Rundgang durch das erste Haus, das mir gehört. Ganz schön viele Anfänge für eine Frau, die gerade alles verloren hat. Wozu vielleicht bald auch noch die Freiheit gehört. Wenn diese Frau Mertes bei ihrer belastenden Aussage bleibt. Ich werde mir die Putzfrau sehr bald vorknöpfen müssen. *Mertes.* Vielleicht jene Fine Mertes, zu der meine Großmutter gezogen ist?

Ein seltsames Haus. Alles andere als gemütlich. In der Mitte des kleinen fensterlosen Raums direkt neben dem Wohnzimmer steht ein Monitor auf einem modernen Glasschreibtisch, um den sich rundherum deckenhohe Bücherregale beängstigend neigen. Den PC dazu hat die Polizei mitgenommen. Wie mein Bruder in dieser Abstellkammer kreativ hatte arbeiten können, ist mir ein Rätsel.

Ich hätte mir dafür lieber sein Schlafzimmer ausgesucht. Nachdem ich die verstaubten Gardinen in Dunkellila zur Seite geschoben und mit großer Anstrengung die eingerosteten Scharniere der zugeklappten Fensterläden in Bewegung gesetzt habe, eröffnet sich mir ein grandioser Ausblick auf eine unendlich weite Landschaft mit sanften grünen Hügeln, Wäldern und Wiesen. Dass es hier überhaupt Zivilisation gibt, lassen nur ein paar Windräder und vereinzelte Gehöfte in weiter Ferne erahnen.

Überwältigt bleibe ich am offenen Fenster stehen. Wenn ein Blick eine Offenbarung sein kann, dann ist dieser eine.

Anna Klein, denke ich voller Trauer, wie hast du eine solche Gegend nur gegen die Berliner Straßenschluchten eintauschen können?

Nie war mir meine Mutter näher, als in diesem Augenblick. Zum ersten Mal vermeine ich, den Schmerz zu spüren, der sie stets wie eine Aura umgeben hat, den ich früher aber nie wirklich habe einordnen können.

Warum war sie von hier weggegangen? Weil Karl Christensen verheiratet war. Aber weshalb gibt es nirgendwo einen Hinweis auf die Mutter meines Bruders? War sie tot? Wahrscheinlich. Aber wann war sie gestorben? Und warum hat meine Mutter Karl Christensens Briefe unbeantwortet gelassen?

In der Stille höre ich meinen Magen knurren. Irgendetwas Essbares würde auch ein so verschrobener Mensch wie mein Bruder im Haus haben. Kaum habe ich die Küchentür geöffnet, als schon der lästige Hund an mir vorbeifegt, sich vor dem Kühlschrank auf die Hinterbeine setzt und bellt. Ein Topf auf dem Herd enthält eine bis zur Unkenntlichkeit zerkochte Masse, die nach Fleisch stinkt und wohl auch etwas damit Verwandtes enthält. Als ich den Topf auf den Boden stelle, verschwindet augenblicklich der Hundekopf darin und schiebt das Gefäß mit jedem Schmatzen weiter von mir fort. Ich öffne die Kühlschranktür.

Nein, ein Sohn meiner Mutter war mein Bruder bestimmt nicht. So einer hätte weder Supermarktkuchen nahe dem Gefrierbereich austrocknen lassen, noch eine Filmrolle in der Butterdose aufbewahrt. Ganz bestimmt hätten bei einem solch nahen Verwandten die Wurstscheiben keine Chance erhalten, sich so weit zu erheben, dass sie fast die Kühlschranktür von innen hätten öffnen können. Das blaubleiche Huhn in Plastikfolie ist laut Verfallsdatumsstempel letzte Woche schon nicht mehr genießbar gewesen. Daneben liegt eine zugetackerte Tüte, deren Kassenzettel wirklich interessante Käsesorten ankündigt. Mit spitzen Fingern entnehme ich sie der Salmonellenfalle und werfe die Kühlschranktür zu. Jetzt brauche ich nur noch geeignete Zutaten.

Ich schiebe angeekelt drei Aschenbecher mit halb gerauchten Zigaretten, Zigarillos und Zigarren zur Seite, öffne die obere Tür des Küchenbuffets und starre entsetzt auf ein Fach mit Tabakwaren. Hat sich dieser Mensch etwa ausschließlich von Qualm ernährt? Im unteren Schrank entdecke ich die abscheulichste Erfindung der Einmachkunst, das Letzte, was ich auf einem Eifeler Bauernhof erwartet hätte: geschälte, in Wasser eingelegte Kartoffeln. Ich ziehe das Glas heraus, sehe dahinter eine Dose Corned Beef und ein Glas Birnenkompott und stoße dann auf eine vereinsamte Zwiebel mit vielen Sprossen.

Nachdenklich betrachte ich die schwimmenden Miniaturkartoffeln, gebe mir einen Ruck und beginne ohne Beachtung eines Verfallsdatums mein Menü zusammenzustellen. Nachdem ich die weißen Ovale aus der muffigen Lake gefischt, in Scheiben geschnitten und in Olivenöl angebraten habe, gebe ich Zwiebelwürfel und Corned Beef dazu und lasse in jedem Teil der Pfanne eine andere Käsesorte ganz kurz warm werden. Dann garniere ich das Ganze mit Birnenkompott und bröckele etwas Supermarktkuchen darüber. Ein Bourgogne aus der Speisekammer erweist sich als vorzügliche Begleitung dieser Komposition.

Solchermaßen gestärkt, will ich sämtliche Fenster

des Hauses aufreißen, um bei frischer Luft in Helligkeit mein neues Domizil weiter zu erkunden. Doch als ich in den Flur trete, springt Linus an mir vorbei zur Haustür und beginnt laut zu bellen. Er will raus.

»Du hast doch gerade erst gefressen«, weise ich ihn zurück. »Da kann doch noch gar nichts unten angekommen sein!«

Vom tierischen Verdauungsvorgang verstehe ich zwar nichts, kenne aber aus leidvoller Berliner Erfahrung den Hang von Hunden zur Düngung der Bürgersteige. Die es hier auf dem Land nicht gibt; dafür aber jede Menge Auslauf. Und da sich Linus besser auskennt als ich, soll er gefälligst selbstverantwortlich Gassi gehen. Ich öffne die Tür und lasse das bellende Ungeheuer raus. Es hechtet sofort auf die Straße zu.

Am Rande meines Blickfeldes taucht ein rotes Cabrio auf. Ich schließe die Augen. Ohrenbetäubendes, entsetzlich langes Quietschen, Hupen, Brüllen, Motoraufheulen, dann Stille.

Langsam hebe ich die Lider.

Die mit frischer Bremsspur gezeichnete Straße ist leer. Vor dem Haus auf deutscher Seite steht Linus. Am Halsband hält ihn ein Persönchen, das kaum schwerer als der Hund sein kann. Frau Mertes, die Putzfrau. Die mich belastet hat. Sie blickt dem Auto nach, schüttelt den Kopf und winkt mich zu sich hinüber.

Ich sehe nach rechts und links, ehe ich die belgische Staatsgrenze in Form der Bundesstraße überschreite.

»Danke«, sage ich. »Das hätte schiefgehen können.«

»Is ja noch mal jut jejaan«, entgegnet sie vorwurfsvoll, mustert mich aus leicht verquollenen Augen mit unverhohlener Neugier und platzt heraus: »Du bist also dat Uneheliche vom Christensen Karl?«

»Scheint so. Ich heiße Katja Klein.«

Mit der Hand, die den Hund nicht festhält, fasst sie sich ans Herz.

»Was? Dat Anna sein Mädchen?!«

»Sie kannten meine Mutter?«

»Kannten?! Dat war meine beste Freundin. Na so was! Und du ... du bist also ihr Kind, aha, wohl der Grund, dat se von hier wech is! Aber wieso der Christensen Karl? Als ich von dir hörte, dachte ich, dat war janz sicher der Werner, der alte Hu...«

Sie bricht ab, nimmt das Hundehalsband in die linke Hand und reicht mir die rechte.

»Ich bin die Fine Mertes. Josefine, aber alle sagen Fine. Die deine Großmutter selig bis zu ihrem Tod jepflecht hat. Die beste Freundin deiner Mutter. Na so was, komm rein, Kind, da jibt es viel zu reden.«

Das tut sie dann auch ausgiebig. Was ich in jener Stunde, in der ich mit Fine Mertes in der aufgeräumten Küche Kaffee trinke und Donauwelle esse, während sich Linus mit einem Spitz balgt – »die verstehen sich, keine Angst, der Rocky tut ihm nichts« –, was ich also da über meine Mutter und ihre Vergangenheit erfahre, beunruhigt mich weit mehr als Langers Mordvorwurf. Fines eigene Empörung manifestiert sich in ihrer Sprache: Immer wieder rutscht sie aus dem bemühten Hochdeutsch in ein mir schwer verständliches Idiom ab – wobei ich als Berlinerin mit dem als

J gesprochenen G noch die geringsten Schwierigkeiten habe.

»Aus dem Staub jemacht hat sie sich«, schimpft Fine Mertes, »ohne mir ein Wort zu sagen!«

Diese Tatsache entrüstet sie offensichtlich noch mehr als jene, dass Anna nach dem Tod ihres Vaters die arme Mutter, also meine Großmutter, mit der Beerdigung und dem bis über den Dachfirst verschuldeten Haus und Lebensmittelladen allein zurückgelassen hatte.

»Deine Großmutter hätte ins Armenhaus jemusst, wenn ich sie nicht aufjenommen hätte«, fährt Fine Mertes aufgebracht fort.

»Gab es denn sonst keine Verwandten, keine Geschwister?«, frage ich entsetzt, nicht ahnend, wie viel dicker es noch kommen würde.

»Deine Mutter war Einzelkind, und die anderen Kleins hier in der Gegend sind nicht mit euch verwandt. Ihr kommt ja nicht von hier.«

Ich erfahre, dass mein Urgroßvater aus Hamburg zugezogen war, um in einer riesigen Munitionsfabrik zu arbeiten, die zu Beginn des 20. Jahrhunderts auf der Kehr stand, mehr als zweitausend Leuten Arbeit geboten hatte und irgendwann explodiert war. Nach wie vielen Generationen gilt man in der Eifel eigentlich als einheimisch?

»Wie der Vater von dem Christensen Karl. Der kam auch aus Hamburg, ist seiner Freundin gefolgt, die war ...« Fine Mertes verfällt ins Flüstern: »... ein leichtes Mädchen, du verstehst schon. Er hat sie dann ehrlich gemacht, aber sie wurde hier trotzdem zur Arbeit zwangsverpflichtet. Janz jelb war sie, als sie starb. Eine Fabrikindianerin, ein Kanarienvogel, weil dat mit Pikrin vermischte TNT, mit dem die Sprengstoffgranaten gefüllt wurden, die Haut jelbrot verfärbte. Und dann muss ich jetzt erst erfahren, dat der Karl der Vater von dat Anna sein Mädchen ist! Na so was! Meine beste Freundin, deren Mutter ich bis zum Tod gepflegt habe! Warum hat sie mir dat nich jesagt?«

»Vielleicht, weil er verheiratet war?«, biete ich an, ziemlich verwirrt von der Vielzahl der Informationen, die aus Fine hervorsprudeln. Fabrikindianerin, Kanarienvogel, TNT, Pikrin, was zum Teufel hat sich hier früher auf der scheinbar so friedlichen Kehr abgespielt?

Fine schüttelt den Kopf. »Er war doch Witwer ...«

Ihre Stimme verliert sich. Sie schaut mich entgeistert an, öffnet dann einen Küchenschrank und zieht einen dicken Aktenordner heraus.

»In welchem Jahr biste jeboren?«, presst sie zwischen zusammengekniffenen Lippen hervor.

»1960«, entgegne ich verständnislos und blicke ihr über die Schulter. Ein Aktenordner voller Todesanzeigen. Sie blättert hastig die ersten Seiten durch.

»Na so was!«, ruft sie triumphierend und klopft mit dem Zeigefinger auf zwei hintereinander abgeheftete schwarz umrandete Seiten. »Dat Maria vom Karl ist einen Tag nach deinem Großvater gestorben. Dat habe ich janz verjessen! Na so was!«

Ich verstehe überhaupt nichts mehr.

»Dann war Karl doch frei und hätte meine Mutter heiraten können!«

»Wenn sie mit dem Karl was hatte. Dat kann ich nicht so richtig glauben, hätte ich doch jewusst. Aber wenn es so war, dann war sie ja vielleicht an dat Maria ihrem Tod schuld. Vielleicht hat sie sich deshalb davonjeschlichen und nicht, weil sie mit dir schwanger war. Schwanger ohne Ehe ist keine Schande. War es hier damals auch nicht mehr wirklich. Gab es viele. Und jetzt ist auch noch der Sohn umgebracht worden. Der arme Gerd. Wenn ich bedenke, was ich jesehen und jehört habe ...«

Eindringlich starrt sie mir in die Augen und setzt flüsternd hinzu: »Na so was!« Ich kann ihre Gedanken lesen: Anna hat Maria auf dem Gewissen. Und Katja, die Tochter, Marias Sohn Gerd. Die Anlage zum Morden ist also wie so vieles andere Böse auch erblich.

Der unausgesprochenen Aufforderung, sie zu fragen, was sie denn alles gesehen und gehört habe und weshalb sie mich bei der Polizei belastet hat, komme ich nicht nach. Es wird Zeit, ihr die Gesprächsführung abzunehmen und sie zum für mich passenden Zeitpunkt mit ihrer Aussage zu konfrontieren.

»Wie ist Maria denn gestorben?«, frage ich.

»Beim Pilzesammeln in das große Bunkerloch da drüben jefallen.« Sie deutet mit der Hand nach rechts. »Jenickbruch, und als man sie am nächsten Tag fand, hat ihr eine Wildkatze oder ein Dachs schon die halbe Hand abjefressen. War furchtbar.«

Unablässig nickend schenkt sie sich ein Glas Wasser ein. Sie spült zwei Tabletten hinunter.

»Migräne«, erklärt sie. »Vor allem, wenn ich mich so aufrege. Ich sage ja nicht, deine Mutter hat dat arme Maria im Wald aufjelauert und in dat Betonloch je-schubst ...«

»Und was sagen Sie dann?«, setze ich an.

»Nicht *Sie*, Katja«, brummt Fine Mertes vorwurfs-voll und zieht mich auf die Küchenbank zurück. »Wir Nachbarn sagen Du. Wo du doch jetzt auch noch das Haus jeerbt hast.« Sie nickt nach Belgien hinüber.

Erstaunlich, was sie so alles weiß. Wie kann sie denn wissen, dass ich Annas Tochter bin, wenn sie nicht einmal von deren Schwangerschaft erfahren hat? Ich frage nach und erfahre, dass Karl Christensen ihr vor Jahren erzählt hat, er sei Anna Klein auf der Grünen Woche in Berlin zufällig begegnet. Da habe er auch mich kennengelernt.

»Das Treffen war wohl kaum zufällig«, sagt sie, mir zuzwinkernd. »Da ist er wohl seinen finanziellen Verpflichtungen nachjekommen. Damals konnte man ja noch nicht ins Fernsehen gehen, für einen Gentest zu machen. Na so was. Klug von deiner Mutter. Der Wer-ner hätte sich vorm Zahlen gedrückt, der Jeizkragen.«

Schon wieder dieser Werner. Wer ist das, und was soll diese unmissverständliche Andeutung, dass viel-leicht nicht Karl Christensen, sondern dieser geizige Werner mein Erzeuger sein könnte?

»Wer ist Werner?«

»Der Werner ist der Bruder von dat Maria Christen-sen und der Vater von dat Gudrun, unsere Melkerin. Einer, der jedem Rock hinterhergejagt ist. Keine von uns hat er in Ruhe jelassen, der alte Bock. Jetzt ist der Werner alt und rammdösig und auf die Hilfe seiner Tochter angewiesen. Geschieht ihm nur recht.«

»Meine Mutter hat von Karl Christensen keinen Pfennig angenommen«, entgegne ich würdevoll, froh darüber, wenigstens etwas zur Verteidigung meiner toten und mir immer unbekannter werdenden Mutter hervorbringen zu können.

»Na so was. Wovon habt ihr denn dann gelebt?«

Ich werde der Antwort enthoben. Die Tür fliegt auf, und mit einem donnernden »Gudrun!« auf den Lippen stürmt ein rotgesichtiger mittelgroßer Mann in die Küche.

»Is nicht hier«, sagt Fine, holt eine weitere Tasse aus dem Buffet, füllt sie mit Kaffee und stellt sie auf den Küchentisch.

»Soll die doch die Suche nach dem Alten der Feuerwehr oder der Polizei überlassen! Was denkt die sich eigentlich, Fine? Ich kann doch nicht allein melken!«

»Das ist dat Katja Klein, dat Anna Klein und dem Christensen Karl sein Mädchen«, stellt mich Fine vor. Dankbar, dass wenigstens er keinen Kommentar zu meinem Elternpaar abgibt, reiche ich ihm die Hand, die er geistesabwesend drückt.

»Alf«, schiebt Fine eilig hinterher, »mein Mann.«

»Die kann mich doch mit all die neuen Kühe nicht sitzen lassen! Der Werner taucht schon wieder auf!«

»Werner?«, werfe ich ein.

»Derselbe«, versetzt Fine verächtlich. »Der Arndt Werner, der Vater von dat Gudrun. Der alte Bock. Wenn er niemand zum Karten findet, wandert er so manchmal in der Gegend rum und verläuft sich. Im letzten Winter ist er beinah dran erfroren. Aber dann hat ihn die Feuerwehr von Hallschlag noch rechtzeitig im Straßengraben jefunden.« Es klingt fast bedauernd.

»Jetzt ist Sommer, da kann er nicht erfrieren. Hätte doch damals dat Gudrun unsern Hein geheiratet, auch wenn sie älter ist«, schimpft Alf Mertes weiter. Er beugt sich zu Linus runter und versetzt ihm einen freundschaftlichen Klaps. »Dann wäre das jetzt auch ihr Hof, wir müssten ihr nichts zahlen, sie wäre pünktlich zum Melken da, und wenn nicht, könnte ich ihr Bescheid sagen und sie dürfte mir keine Frechheiten machen.«

»Nee, Alf, dat siehste völlig falsch«, meint Fine. »Dann würde sie nämlich heute mit dem Hein – unser Jung«, wendet sie sich erklärend an mich, »in Köln wohnen, und wir müssten jemand Fremdes einstellen, für zu melken. So was kostet.«

»Kannst du melken?«, nimmt mich Mertes plötzlich zur Kenntnis.

»Woher denn?«, tönt Fine. »Ihre Mutter konnte das doch auch schon nicht. Meine beste Freundin, dat Anna Klein«, setzt sie eindringlich hinzu und sieht ihren Mann erwartungsvoll an. Der trinkt im Stehen seine Tasse Kaffee aus und wendet sich wieder zum Gehen.

»Wenn dat Gudrun kommt, schick sie sofort in den Stall«, sagt er und verschwindet.

»Haste was gemerkt?«, fragt Fine neugierig, nachdem sich die Tür hinter ihrem Mann geschlossen hat. Ich nicke.

»Na so was, da hast du aber einen guten Blick. Mit der neuen Prothese merkt sonst niemand mehr, dat er nur ein Bein hat. Er kann jetzt janz normal damit laufen. Mit den alten Ding konnte er sich kaum auf den Beinen halten. Wir machen jetzt sogar richtige Spaziergänge. Obwohl sich die Nachbarn drüber aufregen, dat wir wohl nichts Besseres zu tun haben. Ich sage dann immer, auch ein Plastikbein braucht gleichmäßige Bewegung, für nicht zu rosten. Na so was, dass du dat gleich gemerkt hast!«

Prothese? Ich habe nur gemerkt, dass der Mann keine Manieren hat. Aber als Journalistin bin ich durchaus mit der Individualität von Wahrnehmung vertraut.

»Was ist mit seinem Bein passiert?«

»Ist nach dem Krieg auf eine Mine jetreten. Wie so viele hier. Hat er aber noch Glück jehabt. Seinen kleinen Bruder hat's janz zerfetzt. Mausetot. Da ist auch der Arndt Werner dran schuld.«

»Wieso denn das?«

»Lange Geschichte«, sagt sie abwehrend, »das waren schlimme Zeiten, mag ich jar nicht drüber reden. Ojottojottojott.« Sie legt mir noch ein Stück Donauwelle auf den Teller, seufzt tief und bemerkt dann versöhnlich: »Ich glaube übrigens nicht, dat du deinen Bruder totjeschlagen hast.«

»Nein, das war bestimmt der Werner«, sage ich trocken und voller Mitleid für einen alten schusseligen Mann, dem offenbar alles Übel auf der Kehr in die Schuhe geschoben wird.

Fines Augen funkeln. »Könnte schon sein.«

»So alt und rammdösig, wie der ist?«

»Ist er ja nicht immer. Beim Karten ist er meist hellwach. Nimmt meinem Alf heute noch manchen Euro ab, der Sausack. Und seine Tochter Gudrun hatte was mit dem Gerd. Hat sich an den unjepflegten langen Haaren und dem Bart nicht gestört, aber na ja, ist ja auch schon eine alte Jungfer. Über vierzig! Da nimmt man eben, was man noch kriegt. Bis er sie dann abserviert hat. Bist *du* eigentlich verheiratet?«

Ich schüttele den Kopf. Sie sieht mich mit unerträglichem Bedauern an.

»Na ja, da ist der Richtige eben noch nicht jekommen. Vielleicht findest du ihn ja hier. Unser Hein ist noch zu haben. Auch wenn er ein ganzes Stück jünger ist als du. Aber dat ist heute ja nicht mehr schlimm. Nur dass dann keine Enkel mehr kommen können, dat ist wirklich schlimm. Aber die hat der Werner ja auch nicht. Wenn dat Gudrun den Gerd geheiratet hätte, wäre der alte Bock ins Altenheim gekommen. Ha, der ehemalige Großgrundbesitzer von der Kehr! Der jetzt nichts mehr hat, gar nichts ... Richtig verarmt ist der; der Hof soll sogar zwangsversteigert werden. Wo wohl die ganze Kohle geblieben ist? Da kannste nur raten. Mit Weibern durchjebracht. Bestimmt. Und dann haut die Tochter ab und er soll ins Altenheim? Das lässt sich so einer wie er nicht jefallen. Jeder weiß doch, dass der Gerd jetzt nachts in der Krippana arbeitet. Da kann er doch einfach hingehen, ihn erschlagen und sein Mädchen weiter Geld verdienen und alte Jungfer sein lassen.«

»Aber mein Bruder war ein vergleichsweise junger und kräftiger Mann«, werfe ich zur Verteidigung eines verwirrten Tattergreises ein.

»Was meinst du, was für Bärenkräfte so ein alter Bauer hat! Der Arndt Werner ist kein Hänfling. Wo der mit einem Bergkristall zuschlägt, da wächst kein Gras mehr.«

»Und danach hat er sich verlaufen?«, frage ich.

»Danach ist er abjehauen, natürlich. Wahrscheinlich nach Belgien rein. *Da* sollte ihn dat Gudrun suchen!«

»Du glaubst, dass Werner der Mörder ist und hast mich trotzdem bei der belgischen Polizei angeschwärzt?«, frage ich scharf.

»Doch nicht anjeschwärzt, Katja!«, empört sie sich. »Würde ich mit dat Anna sein Mädchen nie machen! Aber da wusste ich das ja noch nicht. Dass du zu uns jehörst. Ich habe nur die Wahrheit gesagt. Dass ich dein Auto gesehen und laute Stimmen gehört habe. Worüber hast du mit dem Gerd denn gestritten?«

Ich deute auf das Päckchen Kopfschmerztabletten.

»Medikamente können die Wahrnehmung trüben«, sage ich und verfalle wieder in die Höflichkeitsform: »Die lauten Stimmen bilden Sie sich nur ein. Gerd hat mir die Tür gar nicht aufgemacht.«

»Ich weiß, was ich jesehen habe«, beharrt sie und setzt versöhnlich hinzu: »Sag doch Du, Katja.«

Linus hat inzwischen von dem Spitz abgelassen und seinen Kopf auf meinen Schoß gelegt. Zaghaft streichele ich den riesigen Kopf und erwähne, dass ein Labrador ja sehr gutmütig sein soll.

»Die reinrassigen schon«, klärt mich Fine auf, »aber bei diesem steckt auch noch eine Hälfte Staffordshire-Terrier drin.«

»Kampfhund?«, frage ich erschrocken und ziehe schnell meine Hand weg. Der halbe Kampfhund fiept und buddelt seinen Kopf tiefer in meinen Schoß. Ich halte ganz still.

Fine nickt. »Von dem Werner seiner Hündin. Die musste er einschläfern lassen, als die ein Kälbchen gleich nach der Geburt jerissen hat.«

Ich rücke sehr behutsam auf der Küchenbank weiter, in der Hoffnung, dem Linuskopf zu entkommen. Der Hundekopf rückt mit.

»Können Sie ... kannst du ihn nicht behalten?«, frage ich. »Ich verstehe überhaupt nichts von Hunden.«

»Wir haben ja schon Rocky und im Zwinger noch zwei andere Hunde. Die mag Linus nicht. Aber es vererbt sich ja nicht immer alles Schlechte. Linus ist ein juter Hund, wenn auch schlecht erzogen. Gerd hat sich nicht groß um ihn gekümmert und ihm alles durchgehen lassen. Zum Verstehen jibt et da nicht viel. So ein Hund muss jehorchen, zu fressen und Auslauf kriegen, dat is alles.«

Ich fasse mir ein Herz, schiebe den Hundekopf sanft weg und stehe wieder auf.

»Kann er denn hier bleiben, bis ich meine Sachen aus dem Hotel geholt habe?«, frage ich. »Das geht ganz schnell.«

»Ja, aber dann holst du ihn bitte gleich wieder ab. Ich muss mich hinlegen. Wegen der Migräne.«

Eine Viertelstunde später

Vor dem Hotel stoße ich auf Michael Balter, den Besitzer der Krippana. Er lädt mich ein, seine Ausstellung kostenlos zu besichtigen, um den ersten schlechten Eindruck zu revidieren.

»Sie sind doch Journalistin«, sagt er, »da könnten Sie einen Artikel über uns schreiben.«

»Modejournalistin«, informiere ich ihn.

Er nimmt einen Augenblick lang mit dem mir so wohl vertrauten Unglauben meinen Umfang in Augenschein und schlägt dann einen Artikel über den Wandel der Mode am Beispiel der Muttergottes-Abbildungen vor.

»Da können Sie dann auch die Unterlagen Ihres Bruders verwenden«, meint er. »Der war mit seiner Arbeit ja schon fast fertig.«

»Kennen Sie seinen Auftraggeber?«, frage ich plötzlich.

»Auftraggeber?« Balter runzelt die Stirn. »Davon weiß ich nichts. Ich dachte, er schreibt auf eigene Faust. Und ich mache mir solche Vorwürfe, dass Sie ihn tot aufgefunden haben!«

»Das ist doch nicht Ihre Schuld!«

»Aber sicher, ich hätte wissen müssen, dass etwas nicht stimmt, als mir Ivo blutverschmiert entgegenkam!«

»Ivo?«

Er deutet zu seinen Füßen, und da erst sehe ich ein schneeweißes Hündchen etwa in der Größe meines Kalbsleberbrötchens, das Linus auf einen Haps verschlungen hatte.

»Mein Malteser«, sagt Balter, fegt das Tierchen auf, birgt es in seinen Armen und streichelt es zärtlich. »Ich füttere doch in aller Frühe die Tiere in der Lebendkrippe, und Ivo läuft mir da immer voraus. Aber gestern ist er mir schon früher abgehauen. Und als er mir wieder entgegenrennt, ist seine Schnauze total blutverschmiert. Ich denke, dass er sich auf dem Feld einen Kampf mit einer Maus geliefert hat – wir haben hier eine richtige Mäuseplage, müssen Sie wissen«, er stupst dem Hund aufs Näschen und tritt zur Seite, um zwei Hotelgästen Durchlass zu bieten. »Ich konnte doch nicht ahnen, dass an dieser süßen Hundeschnauze das Blut Ihres Bruders klebt!«

Die beiden Hotelgäste erstarren. Blicken das hamstergroße Hündchen genauso ängstlich an wie ich zuvor Linus und fliehen ins Hotelgebäude.

»Wäre ich doch bloß nicht noch nach Hause gegangen, für Ivo zu säubern«, fährt er fort, »dann hätte *ich* den Gerd entdeckt und Ihnen diesen scheußlichen Anblick erspart.«

»Polizeiinspektor Langer hätte bestimmt darauf bestanden, mir die Leiche vorzuführen«, beruhige ich ihn. »Ich bin schließlich seine Hauptverdächtige.«

»Da bin ich mir nicht so sicher«, murmelt Balter. »Schließlich gibt es jemanden, der einen Schlüssel hat.«

»Das Tor stand doch offen.«

»Ihr Bruder kam nie durchs Tor, immer durch den Haupteingang. Das beweisen auch die Überwachungsaufnahmen. Leider haben wir keine Kamera am Stall, sonst hätte die vielleicht den Mord aufgezeichnet. Wenn es noch hell genug dafür war.«

»Wer hat noch einen Schlüssel?«

»Die Putzfrau.«

»Frau Mertes?«, frage ich ungläubig. »Dann müssten Sie die ja auch auf dem Video gesehen haben.«

Er zuckt mit den Schultern. »Hab ich ja auch. Aber die hat das Licht ausgemacht, als sie um kurz vor acht ging. Und danach haben die Kameras nichts mehr aufgenommen.«

»Im Dunkeln hätte auch eine Stallkamera keinen Mord aufgezeichnet«, bemerke ich. »Herr Balter, Sie glauben doch nicht im Ernst, dass die zierliche Frau Mertes meinen langen Bruder erschlagen hat!«

»Meine letzte Putzfrau hat mit einer Nadel die Kasse geleert.«

»Aber hier geht es um Mord, Herr Balter. Und Frau Mertes wiegt höchstens 45 Kilo. Wie sollte die diesen riesigen Bergkristall überhaupt nur bewegt haben?«

»Kennen Sie nicht die Geschichte von der Mutter, die es schafft, einen Lastwagen hochzuheben, weil ihr Kind darunter liegt? Extreme Situationen setzen ungeheure Kräfte frei.«

»Dann muss sie aber eine Riesenwut auf Gerd Christensen im Bauch gehabt haben.«

Michael Balter zuckt wieder mit den Schultern.

»Was weiß ich schon? Die beiden waren ja Nachbarn. Da kann sich schon was ansammeln. Liest man ja ständig in der Zeitung.« Er sieht mich nachdenklich an. »Wissen Sie, die Gegend hier ist äußerst dünn besiedelt. Jeder kennt jeden. Es gibt da Vergangenheiten, von denen sich die Städter nichts träumen lassen. Sie ahnen ja gar nicht, wie viele Leichen im Keller es hier im Grenzgebiet gibt! Wie viele offene Rechnungen! In Losheim und auf der Kehr!« Er beugt sich näher zu mir hin und flüstert: »Es gibt keinen älteren Bewohner dieser Orte, der nicht schon im Knast gesessen hat!«

So etwas Ähnliches hat Langer auch gesagt.

»Wegen Mordes?«, hake ich nach.

»Natürlich nicht. Schmuggel. Kaffee aus Belgien zum Beispiel. Verbotene Viehtransporte.«

»Schweine, die man mit Korn ruhigstellt, damit sie nicht verräterisch quieken«, setze ich nickend hinzu.

Er sieht mich aus großen Augen an. »Donnerwetter! Wie lange sind Sie schon hier?«

»Anderthalb Tage«, antworte ich.

»Da haben Sie ja schon eine Menge erfahren!«

Er kann ja nicht ahnen, wie recht er hat.

»Und jetzt muss ich meine Hotelrechnung begleichen. Ich ziehe in das Haus meines Bruders.«

Balter besteht darauf, mir nur die Kosten für eine Nacht zu berechnen, obwohl ich erst am späten Nachmittag auschecke. »Das kläre ich schon mit meinem Vater«, versichert er. »Sie gehören ja jetzt zu uns.«

Zu einer großen verschworenen Schmugglergemeinschaft mit vielen Leichen im Keller, dazu einer von mir in der Krippana aufgefundenen, deren Kopfwunde jetzt von belgischen Pathologen begutachtet wird. Diese arbeiten wohl kaum am Wochenende. Wahrscheinlich werden sie die offizielle Todesursache erst am Montag feststellen.

Fine Mertes wartet mit Linus schon vor ihrem Haus, als ich in meine belgische Einfahrt einbiege. Ich lasse meinen Koffer im Auto und überquere pflichtschuldig die Straße.

»Hat er eine Leine?«, frage ich, als sie mir den Hund zuschiebt.

»Wahrscheinlich hängt die neben der Haustür. Aber die brauchst du auch nicht, wenn du mit ihm ins Jelände gehst. Nur auf der Straße solltest du ihn festhalten.«

»Welches Gelände?«

»Das Verbotsjelände«, sagt sie lächelnd. »Wo früher die Munitionsfabrik stand. Weißt schon, da wo deine Urgroßeltern jearbeitet haben. Und die vom Gerd auch. Aber das Jelände ist jetzt wieder frei zugänglich. Auch wenn noch überall Verbotsschilder stehen. Der Gerd ist da immer mit Linus jelaufen. Ich zeig's dir.«

Sie hält den Hund am Halsband fest und läuft mit mir ein paar Schritte weiter nach Deutschland hinein.

»So, jetzt sind wir in Rheinland-Pfalz«, sagt sie plötzlich und deutet auf ein Schild.

»Und wo waren wir grad eben?«, frage ich verwirrt.

»In NRW. NORDRHEIN-WESTFALEN. Die Kehr ist die Grenze.«

»Ich dachte, sie gehört zu Belgien.«

»Die Staatsgrenze läuft durch die Kehr hindurch. Der deutsche Teil gehört zur Gemeinde Hellenthal in NRW. Und direkt daran grenzt Rheinland-Pfalz, Hallschlag. Dat jehört zum Kreis Daun, auch wenn das für uns fast so weit weg wie Köln ist. War eine dumme Jemeindereform, die Hallschlager haben sich sehr geärgert, dass sie nicht mehr zu Prüm gehören. Nur noch polizeilich.«

»Hallschlag. Wo meine Großeltern gewohnt haben«, erinnere ich mich.

»Richtig. Der Laden von denen war in Halzech – so nennen wir Hallschlag hier. Und da sind wir jetzt.« Ihr Finger deutet immer noch auf das kleine weiße Schild.

»*ACHTUNG*«, lese ich laut vor, »*für diesen Bereich gilt die Gefahrenabwehrverordnung der* VGV *Obere Kyll vom 27. 06. 2002.* Gefahrenabwehrverordnung?«, frage ich entsetzt. »Was bedeutet das denn?«

»Dat wir hier vor ein paar Jahren alle fast in die Luft jeflogen wären«, sagt sie genüsslich. »Altlasten aus dem Ersten Weltkrieg.«

»Dem Ersten?«

»Ja, wegen der Munitionsfabrik. Die ist doch explodiert. Kurz nach dem Ersten Weltkrieg, aber den Ärger haben wir heute noch. Lange Jeschichte. Jiftjasgranaten und so. Erzähle ich dir ein andermal. Jetzt macht mich ganz was anderes fertig.« Sie dreht sich um und deutet auf ein nicht sonderlich hohes zweiflügliges Windrad direkt neben uns. Endlich begreife ich, wo das undefinierbare Schwirrgeräusch herkommt, das mir bei meiner Ankunft aufgefallen ist. »Verstärkt meine Migräne. Ist vielleicht sogar schuld daran.«

»So ein mickriges Windrad habe ich noch nie gesehen«, bemerke ich erstaunt. »Bringt das überhaupt was?«

»Dem Besitzer schon. Erste Jeneration Windräder, wurde ordentlich subventioniert. Und stört viel mehr als die großen Dinger da drüben. An die haben wir uns jewöhnt. Na so was, lieber das als ein Atomkraftwerk in der Nachbarschaft. Da stirbste dran.«

Sie führt mich an einem sehr gepflegten Hof vorbei, mit einem Gehege voller springender Tiere, die ich nicht definieren kann, die mich aber irgendwie an Rehe erinnern, biegt eine Straße rechts ein und deutet dann nach links zu einem dreistöckigen, an einem Wäldchen gelegenen schlichten weißen Haus.

»Dat war früher unser Zollhaus«, erläutert sie. »Später hat da die Familie Dellwo mit vielen Kindern jewohnt, die hatten's janz schön schwer, die Dellwos, du weißt schon Karl-Heinz Dellwo, der RAF-Terrorist, von dem die Zeitungen voll waren. Heute wohnen da janz normale Leute drin. Und rechts davon, da ist dat Verbotsjelände. Da war früher ein Zaun, jetzt kannste aber rein. Ist völlig unjefährlich.«

»Und warum Verbotsgelände?«, frage ich misstrauisch.

»Na, weil man doch Angst hatte, Terroristen würden da alte Granaten ausbuddeln.«

»Wieso hat man die nicht entsorgt?«

»Die Terroristen?«

»Die Granaten.«

»Waren zu viele. War zu teuer. Man hat dat Zeug in der Erde gelassen, ein verzinktes Maschendrahtgeflecht drüberjelegt, darauf eine dicke Schicht Lava und Erde und dann Mutterboden und den neu bepflanzt.«

»Einfach den Deckel draufgemacht?«, frage ich ungläubig.

»Genau. Jedeckelt. So hieß es damals auch. Du glaubst ja gar nicht, was sich hier alles abjespielt hat.« Fine Mertes fasst sich an den Kopf. »Meine Migräne kommt bestimmt auch von dem Jiftjas«, sagt sie stöhnend.

»Giftgas?« Wird wirklich Zeit, dass ich erfahre, was hier abgegangen ist! Giftgas klingt noch ungesünder als Fliegerbombe. Oder Atomkraftwerk.

»Ja. 1990, als das Gelände saniert werden sollte, stolperte ein Vermesser zufällig über eine auf dem Boden liegende Granate. Er rief den Kampfmittelräumdienst, und der entdeckte ein ganzes Granatengrab, dreißig Sprengkörper, von denen zwölf flüssig, also mit Kampfgas gefüllt waren.«

»Das ist doch lebensgefährlich!«

»Ja sicher dat, aber weißt du, was die Behörden uns Anwohnern jeraten haben: Wir sollten ins Wirtshaus gehen oder die Rollläden runterlassen.«

»BILDzeitung auf den Kopf beim Atomkrieg«, murmele ich fassungslos und frage: »Und dann?«

»Und dann wurden die Granaten zum Kampfmittellager nach Helenenberg bei Trier gebracht. Aber die Leute, die da wohnten, regten sich so darüber auf, dass die Rejierung beschloss, dat Teufelszeug wieder nach Hallschlag zurückzuschaffen.«

»Ist nicht wahr!«

»Ist wahr. Alles kam zurück, und wir fielen aus allen Wolken. Hier wohnen viel weniger Leute, hieß es, und dann ließ das Innenministerium Fluchthauben an uns verteilen.«

Fluchthauben. Was ist das denn für eine Mode? Aber eigentlich will ich gar nicht wissen, was das war, nur, ob heute noch irgendeine Gefahr besteht.

»Für die nächsten fünfzig Jahre sind wir angeblich sicher«, erklärt Fine. »Da schützt uns der Deckel. Auch wenn ich immer noch glaube, dass meine Migräne von dem Mist da unten kommt. Und von dem Windrad natürlich. Aber wenn du jetzt mit Linus über dat Je-lände jehst, siehst du eine janz friedliche Landschaft. Mit seltenen Blumen und Tieren, die sich in den ver-gangenen fünfzehn Jahren unjestört ansiedeln konn-ten. Da ist ein ganz lieblicher Teich. Musste dir mal ansehen. Den nennen wir den Wolfgangsee, weil ein Kampfmittelräumer, der Wolfgang hieß, da mal mit seine Jummistiefel festgesteckt hat. Wenn du also jetzt über dat Jelände jehst, wirst du glauben, an einem der letzten unberührten Paradiese der Natur zu sein. Schau doch, wie schön der Jinster blüht. Eifeljold. So heißt dat.«

Sie deutet auf eine goldgelbe Hecke, nimmt mei-ne Hand, drückt sie in Linus' Halsband, wünscht mir einen schönen Spaziergang und schlendert zu ihrem Hof an der Hauptstraße zurück.

Ich suche eine Stelle, an der die Böschung für einen Menschen meiner Statur nicht so schwer zu bezwingen ist, und klettere auf das Verbotsgelände. Oben angekommen, atme ich tief durch. Fine hatte recht. Eine so schöne, eine so friedliche Gegend habe ich in meinem Leben noch nicht gesehen. Wie die Spielzeuglandschaft eines Eisenbahnmodells liegt das kleine Hallschlag unter mir. Träge drehen sich die Blätter einiger – aus der Ferne gesehen – winziger Windräder. Um mich herum blüht eine Vielzahl von Blumen, deren Namen ich nicht kenne. Und jede Menge Ginster. Ich hole tief Luft und versuche, Ordnung in mein Hirn zu bringen.

Als Journalistin bin ich zwar gewohnt, in kurzer Zeit eine Vielzahl von Informationen verarbeiten zu müssen, aber jetzt wirbeln durch meinen Kopf Gedankenfetzen wie die Schirmchen einer Pusteblume in alle Richtungen.

Wie schlicht doch die Vorstellung gewesen war, dass meine Mutter wegen meiner werdenden Existenz ihre Heimat verlassen hatte! Vielleicht hatte sie Maria Christensen, die Frau ihres Liebhabers, umgebracht, vielleicht war sie tatsächlich vergewaltigt worden und wusste nicht, wer mein Vater war, vielleicht hatte sie nur keine Lust gehabt, sich um ihre eigene Mutter zu kümmern, vielleicht hatte der Tod ihres Vaters sie tief getroffen, aber vielleicht war alles doch wieder ganz anders gewesen.

Herausfinden werde ich das wohl nie. In meiner Macht liegt es höchstens, herauszufinden, ob nicht vielleicht doch Werner Arndt mein Erzeuger war. Sobald der rammdösige Alte wieder auftaucht, werde ich ihn besuchen. Könnte ja sein, dass sich die Stimme des Blutes meldet. Wie wird wohl ein Mensch reagieren, dem ich auf den Kopf zusage, meine Mutter vergewaltigt zu haben?

Linus rennt los. Er jagt ein kleines Tier, das so aussieht, wie ich mir einen Fuchs vorstelle.

»Linus!«, rufe ich mit der autoritärsten Stimme, die mir zur Verfügung steht. Total erstaunt sehe ich den Hund innehalten. Er spitzt die Ohren und kehrt rasch zu mir zurück. Wahrscheinlich hat er eingesehen, dass der Fuchs nicht einzuholen ist und deshalb dankbar der Stimme seiner neuen Herrin gehorcht.

»Sitz!«, befehle ich, als er den massigen Körper gegen meine Wade drückt. Hechelnd rückt er von mir ab und setzt sich mir zu Füßen. Ich kraule ihm etwas verunsichert den Kopf. Sollte es wirklich so einfach sein, einen halben Staffordshire-Terrier zu bändigen?

»Lauf!«, fordere ich ihn auf, und er rennt wieder los. Ich gehe gemächlich hinterher.

Plötzlich bleibt er stehen und bellt.

Als ich neben ihm ankomme, blicke ich von einer hohen Böschung auf einen Teich hinunter. Bäume biegen sich darüber, Kröten flitzen durch den Schlamm am Rand, blaue Libellen surren über das Wasser, in dem eine bunte Pflanzenwelt treibt. Und ein Mann mit blauer Hose und kariertem Hemd. Mit dem Gesicht nach unten. Ganz regungslos.

Wolfgangsee, denke ich. Kampfmittelräumer. Ich

bin keine Spezialistin. Verstehe nur etwas von Mode. Und von Essen. Und dass dieser Mensch, wer er auch sein mochte – vielleicht der vermisste Werner oder der alte Mann, den ich gestern nach dem Weg gefragt habe –, nie wieder wird essen können. Vielleicht haben die Krimiautoren doch recht, und in der Eifel wimmelt es nur so von Leichen. Heute ist mein zweiter Tag hier, und ich entdecke bereits den zweiten Toten.

Zitternd greife ich in die Tasche meiner dünnen Leinenjacke, ziehe mein Handy hervor und rufe Marcel Langer an.

Tag 3, Sonntag, morgens

Eine Fliege brummt. Ohne die Augen zu öffnen, schlage ich im Halbschlaf nach ihr. Sie brummt weiter. Ein Klatschen neben mir schneidet ihr den Ton ab. Ich schieße hoch.

»Im richtigen Moment zuschlagen«, sagt Marcel Langer. »Meine Spezialität.« Er betrachtet befriedigt seine Handflächen und schnipst die Fliege von der Bettdecke.

»Was ...« Mir fehlen die Worte. Ich schließe die Augen und öffne sie wieder. Nein, es ist kein Traum. Der zerzauste belgische Polizeiinspektor liegt tatsächlich neben mir im Anderthalbpersonen-Bett. Soweit ich sehen kann, ist er wenigstens angezogen, jedenfalls trägt er ein verkrumpeltes T-Shirt aus beinahe weißer Baumwolle. Ich auch.

»Keine Sorge, es ist nichts passiert«, murmelt er angesichts meiner Fassungslosigkeit.

»Nichts passiert!«, echoe ich erheblich lauter.

»Zwischen uns, meine ich«, sagt er und setzt sich ebenfalls auf. Ich rücke von der Schulter ab, die mich berührt. Die Bettfedern seufzen. Das Holz der Bettkante gräbt sich schmerzlich in meine Oberschenkel.

»Was tun Sie in meinem Bett?«

»Tja«, er verwuschelt sich das Haar noch ein wenig mehr, streicht sich über das stoppelige Kinn, versucht die schiefen Schnurrbartstacheln zu glätten und erklärt: »Es war der sauberste Platz, für sich hinzulegen.«

Langsam setzt meine Erinnerung wieder ein. Jedenfalls kann ich mich dunkel entsinnen, am frühen Abend in einem Schrank erstaunlich frische Bettwäsche gefunden und das Bett bezogen zu haben. Ich hatte wohl schon geahnt, dass ich zu späterer Stunde dazu nicht mehr in der Lage sein würde. Das hing irgendwie mit Whisky zusammen, einem Single Islay Malt. Der mir erst nach dem dritten Glas so richtig hatte schmecken wollen, wie mir jetzt wieder einfällt.

»Und für zu fahren, habe ich einfach zu viel getrunken«, fährt er fort und schwingt nackte wohlgeformte Beine aus dem Bett.

»Es gibt Taxis«, sage ich hart und wünsche, er würde sich in Luft auflösen. Wie soll ich auf die Toilette gehen, ohne ihm die Rückseite meiner Oberschenkel zuzuwenden? Deren Anblick ich selbst meiden kann und meinem langjährigen Lover erfolgreich vorenthalten habe. Und die neben den vermuteten Dellen jetzt auch noch der Abdruck der Bettkante verunzieren würde.

»Taxis?«, wiederholt er fragend, als hätte ich ein absurdes Wort geäußert. »Sie müssen noch viel über Ihre neue Heimat lernen, Frau Klein.«

Er steht auf und reckt sich ausgiebig. Ich bleibe von dem Muskelspiel unter dem billigen T-Shirt unbeeindruckt. Graue Boxershorts aus Seide. Bei diesem Mann passt wirklich nichts zusammen.

»Ich mach uns Kaffee«, sagt er, als wäre es völlig normal, am Sonntagmorgen neben einer Frau aufzuwachen, die er am Vortag noch des Mordes bezichtigt hat. »Mal sehen, ob ich so was in diesem Haus finde. Ich würde nur ungern Fine Mertes darum bitten.«

»Ojottojottojott«, sage ich und drücke die Hände gegen die Schläfen. Der Zimmermann in meinem Kopf hämmert unerbittlich weiter. Wie viele Whiskys haben ihn bloß angefeuert? Dabei hatte das Zeug einen scheußlichen Geschmack. Der sei durch Moor-Eichen angereichert, hat Langer gesagt. Moorleichen?, hatte ich nachgefragt und Langer damit zu einer Bemerkung über das Hohe Venn angeregt. In dem immer wieder Menschen spurlos versanken, was aber nicht unbedingt mit Whisky zu tun habe, wiewohl das in vielen Fällen auch nicht auszuschließen sei.

Der Polizist hat die Schlafzimmertür kaum geöffnet, als Linus schon hereinstürzt.

»Nein, keine Hundehaare auf dem Bett!«, schreie ich und schicke ein verzweifeltes »Sitz!« hinterher. Einen Befehl, den der Hund augenblicklich befolgt. Auf jener Stelle im Bett, die vom Polizistenkörper noch gewärmt ist. Die Bettfedern ächzen. Das Vieh legt den Kopf in den Nacken, lässt sich dann auf die Seite fallen und streckt alle Pfoten nach mir aus, als erwarte es eine morgendliche Umarmung.

Ich springe auf. Dieser Tag fängt richtig gut an, denke ich, als ich nach meiner Jeans auf dem Boden angele. Die letzten beiden Kreaturen, die ich um mich haben will, suhlen sich in meinem Bett.

Es kommt noch schlimmer: Die Jeans muss in der Nacht eingelaufen sein oder ich eine Menge zugenommen haben; jedenfalls kriege ich sie nicht einmal über die Waden. Whisky soll sich ja an den Hüften festsetzen, aber so viele Kalorien könnte selbst ein Single Islay Malt mit der Geschmacksnote Moor-Eiche nicht in so kurzer Zeit in Fett umwandeln. Es ist also nicht meine Jeans. Auch nicht die Langers.

Die sehe ich fein säuberlich über dem hohen Fußende des Bettes hängen. Der im nüchternen Zustand so unordentliche Polizist wird im Suff augenscheinlich pingelig.

Damit die fremde Jeans – offenbar die meines toten Bruders – mir nicht wieder einen solchen Schreck einjagt, pfeffere ich sie auf den Kleiderschrank.

Zu meinem Erstaunen finde ich auf Anhieb das Badezimmer und dort sogar meine ausgepackte Zahnbürste auf der Ablage über dem Waschbecken. Wer bist du, frage ich mein wenig schmeichelhaftes Spiegelbild, und vor allem: Was ist gestern Nacht passiert? Was hast du dem Mann bloß alles erzählt? Hat seine Pingeligkeit etwa System? Gehört es zu den belgischen Ermittlungsmethoden, Verdächtige besoffen zu machen, um sie zu überführen? Sich nachts neben wehrlos Schlafende auf die Lauer zu legen, um ihnen im Traumzustand Geständnisse zu entlocken? Ist das derart Ermittelte gerichtlich verwertbar? Wo ist der Gerichtsstand? In Eupen? Wo zum Teufel liegt das überhaupt?

Die graue Strähne, die aus meinen dunkelbraunen Haaren an der Seite herausschimmert, scheint über Nacht noch ein Stück breiter geworden zu sein. Soll ich sie endlich färben oder mir beim würdevollen Altern zusehen?

»Linus muss raus!«, schreit mir Langer durch die Tür zu.

»Hauen Sie ab, und nehmen Sie den blöden Köter mit!«, brülle ich völlig außer mir zurück.

Meine Nerven sind bis zum Äußersten gespannt. Mein Schädel brummt. Ich brauche endlich Ruhe. Muss nachdenken. Außer meiner Mutter habe ich vor dem Zähneputzen noch nie ein Wesen gesehen oder auch nur sehen wollen.

Wahrscheinlich habe ich mich nur deshalb so lange mit einem verheirateten Mann abgegeben, weil ich selbst niemanden heiraten will. Womöglich jemanden, mit dem ich Kinder hätte kriegen müssen, die morgens so in mein Bett springen, wie es soeben Linus getan hat. Die an dem Essen herummäkeln, das mir schmeckt. Die ständig Forderungen stellen und nerven. Die ein Recht darauf haben, Unruhe in mein Leben zu bringen, weil ich sie ungefragt in ihres geworfen habe. Ich will keine Verantwortung für andere übernehmen, und ich will das Leben lieber beobachten, als mich ihm selbst auszusetzen. Deshalb bin ich Journalistin geworden. Jetzt habe ich gleichzeitig mit dem Beruf die Beobachtungsrolle aufgegeben und bin zum Handeln verdammt. Das passt mir überhaupt nicht.

Ich höre die Haustür zuschlagen. Ein Auto startet.

Vorsichtig öffne ich die Badezimmertür und luge hinaus. Stille. Mann und Hund sind weg. Ich atme erleichtert durch, stelle mich in die Badewanne und dusche ausgiebig.

Als ich später in der Küche eine Thermoskanne voll mit heißem Kaffee finde, erlaube ich mir einen freundlichen Gedanken an Marcel Langer. Ich brauche dringend ein Frühstück, aber da ich schon weiß, dass diese elende Küche Derartiges nicht hergibt, begnüge ich mich mit dem Rest des ausgetrockneten Supermarktkuchens, den ich zwecks Genießbarkeit kurz in meine Tasse tunke.

Wenn ich auch nicht mehr viel über den gestrigen Abend weiß, so kommt doch die Erinnerung an den schrecklichen Nachmittag zurück.

Ich habe den toten Werner Arndt im Wolfgangsee gefunden und Marcel Langer angerufen. Der bedauerte zwar, für Leichen in Rheinland-Pfalz nicht zuständig zu sein, hat aber immerhin die Polizei in Prüm informiert. Wahrscheinlich sollte ich dem belgischen Polizeiinspektor dankbar sein, dass er später zusammen mit den Männern der Kriminalinspektion Wittlich und dem Prümer Polizeihauptkommissar Josef Junk auf dem Gelände erschien, mich zu meinem Haus zurückbrachte und mir dort auf den Schreck den ersten Whisky einschenkte. Wenn ich mich recht erinnere, habe ich nach dem dritten Glas geheult, mich an ihn geklammert und ihn angefleht, mich in dieser mörderischen Umgebung bloß nicht allein zu lassen. Wie peinlich! Ich habe ihn ja geradezu eingeladen!

Irgendwann ging er mit Linus noch einmal weg. Und erklärte mir nach seiner Rückkehr, die deutsche Kriminalpolizei gehe von einem Unfall aus. Der alte Arndt sei dafür bekannt gewesen, hin und wieder ziellos und verwirrt durch die Gegend zu irren. In den vergangenen Jahren sei schon mehrfach nach ihm gesucht worden. Wahrscheinlich sei er in den Weiher gefallen und ertrunken.

Auf meine Frage, weshalb er sich aus diesem winzigen Wasserloch nicht selbst habe retten können, beschied mir Langer, der Eifeler an sich kenne Teiche vorwiegend als Forellenhabitat. Zum Schwimmen habe er keine wirkliche Beziehung. Außerdem sei eine kleine Wunde an Werner Arndts rechter Schläfe festgestellt worden. Es werde derzeit geprüft, ob sie auf stumpfe Gewalteinwirkung zurückzuführen sei. Man gehe allerdings zunächst davon aus, dass sich Arndt bei seinem Sturz von der hohen Böschung an einem Felsen im Weiher den Kopf aufgeschlagen habe. Dann müsste Wasser in den Lungen sein.

»Und wenn da keins drin ist, werde ich wieder verdächtigt«, heulte ich.

»Wieso denn das? Nur, weil Sie ihn gefunden haben? Sie kannten ihn doch gar nicht.«

»Aber wenn *er* doch mein Vater war!«

Und dann habe ich dumme Kuh Langer wohl ausführlich von meinem Gespräch mit Fine Mertes erzählt. Und danach wahrscheinlich noch eine Menge anderes, das ihn überhaupt nichts angeht und das er besser nicht wissen sollte. Ich muss unbedingt herausfinden, was ich von mir gegeben habe. Ich weiß nicht einmal mehr, ob ich Fines Verdächtigung bezüglich Werner Arndt erwähnt habe, und nehme mir vor, diese Bemerkung auf jeden Fall nachzuholen. Irgendwie wird man dann die beiden Fälle zueinander in Beziehung bringen können. Etwa so: Arndt hat meinen Halbbruder erschlagen, weil der mit seinen raffinierten Schnüffelmethoden etwas Schlimmes über ihn herausgefunden hat. Danach hat sich Arndt selbst in den Teich geworfen. Akte zu. War allerdings Fremdeinwirkung der Grund für die kleine Kopfwunde, wird man davon ausgehen, dass ein zweifacher Mörder immer noch frei herumläuft.

Teuflisches Zeug, dieser Single Islay Malt, der mir die Zunge derart gelöst hatte! Aber Langer selbst hat auch eine Menge geredet, so viel weiß ich noch. Zum Beispiel, dass er als jüngstes Kind einer zwölfköpfigen Geschwisterschar in ziemlicher Armut im nahe gelegenen Schmugglerkaff Krewinkel aufgewachsen ist. Mit gewissem Stolz gestand er, als Kind ebenfalls geschmuggelt zu haben. Er hatte seinem Kühstipp, einem mopsgedackelten Spitzbernhardiner, wie er mir auf Nachfrage erläuterte, ein Geschirr gebastelt, einen Schlitten daran gehängt und ein Säckchen mit einigen Kaffeebohnen darauf festgebunden. Das Tier hatte er dann im Winter an der deutsch-belgischen Grenze zur Familie Mertes über die Straße geschickt. Und die hatte im Gegenzug einen großen Laib herrlichen deutschen Schwarzbrotes auf dem Hundegefährt befestigt. Dieser Tauschhandel fand ein Ende, als der Schlitten einmal umkippte und ein Zöllner auf den laut jaulenden Hund aufmerksam geworden war. Danach hatte das Zollhäuschen auf der Kehr mal wieder in Flammen gestanden. Wie oft es in all den Schmugglerjahren abgefackelt wurde, kann niemand sagen – aber ein Brandstifter sei nie gefunden worden, erzählte Langer. Wieso kann ich mich an so Nebensächliches erinnern und nicht mehr an das Wesentliche?

Als ich nach meinem kargen Frühstück die offenbar seit Jahren ungeputzten Fenster des Hauses aufreiße und sich das Licht der gnadenlosen Sommersonne in die Räume ergießt, sehe ich ein, dass der Polizist aus hygienischen Gründen wahrlich keine andere Wahl gehabt hat, als sich zu mir ins Bett zu legen. Ich werde Tage brauchen, um das eingedreckte und vermüllte Haus einigermaßen bewohnbar zu machen. Oder zumindest die Teile, die ich benutzen will, solange ich hier bin.

Während ich mit spitzen Fingern den gesamten Inhalt des Kühlschranks in einen Müllsack expediere, frage ich mich, wie lange ich eigentlich bleiben soll. Oder muss. Langer scheint davon auszugehen, dass ich mich auf der Kehr niederlassen werde. Wieso sollte das jemand tun, der auf der ganzen Welt zu Hause ist? Na ja, zu Hause ...

Immerhin scheine ich hier jetzt Grundbesitz zu haben. Aber was haben mir mein Vater und mein Halbbruder außer diesem verkommenen Hof hinterlassen? Wie viel ist ein Grundstück in der Eifel wert? Und was soll ich hier tun, wenn ich mal diesen unmöglichen Gedanken des Bleibens weiterspinne?

Ich gehöre nicht zu den Journalisten, die unbedingt ein Buch schreiben wollen. Damit wenigstens ein einziges Mal ihre Worte nicht am nächsten Tag beim Trödler als Verpackung recycelt werden. In meinem Alter werde ich in meinem Beruf jedenfalls keine Arbeit mehr finden können. Falls mir ein belgisches Gericht meine Zukunftsplanung nicht abnimmt, werde ich mir etwas einfallen lassen müssen.

Ich nehme die Filmrolle aus der Butterdose und werfe sie in den Müll. Gleich darauf klaube ich sie wieder heraus. Ein altmodischer Rollfilm. Er scheint belichtet zu sein. Warum liegt er in der Butterdose? Ich stecke ihn in meine Handtasche. Könnte ja sein, dass ich etwas Interessantes darauf entdecke, wenn ich ihn entwickeln lasse. Im Kühlschrank hat die Polizei offensichtlich nicht nach Beweismitteln gefahndet. Dabei weiß doch jeder Krimileser, dass Belastendes gern tiefgekühlt wird.

Ein Auto hält vor dem Haus. Ich blicke hinaus, sehe einen weißen Jeep mit blauen Streifen und unterdrücke ein Stöhnen, als Marcel Langer aussteigt. Der Hund springt fröhlich neben ihm her, während er mit zwei großen Plastiktüten zur Tür stiefelt.

»Eingekauft?«, frage ich verwundert, als ich ihm die Tür öffne, »am heiligen Sonntag?«

»In Belgien schon«, erwidert er und schiebt sich an mir vorbei in die Küche. »Die Deutschen lieben das. Boykottieren damit ihre engstirnigen Ladenöffnungszeiten. Das hätten Sie eben sehen sollen: vier Reisebusse aus NRW auf dem Parkplatz. Kaffeefahrten. Ganz legal. Und nach dem Einkaufen gehen die Frauen in die Puppen-Ausstellung und die Krippana, das ist fast so gut wie in die Kirche und etwas unterhaltsamer. Und die Männer ziehen in die Eisenbahnausstellung daneben. Das alles zusammen ergibt unseren berühmten Ardenner Cultur Boulevard. Wo ich normalerweise auch frühstücke.«

Er nickt anerkennend zum offenen Kühlschrank hin. »Mit Essig auswaschen«, rät er.

»Weiß ich selber«, fahre ich ihn an.

»Entschuldigung. Soll ich uns ein Frühstück machen?«

»Ich esse nicht gern, was andere zubereiten!«

»Dann machen Sie eben das Frühstück. Aha ...« Er steht am Fenster und deutet hinaus. »Gudrun Arndt holt sich offensichtlich ihren Kondolenzbesuch bei Mertes selbst ab!«

Neugierig stelle ich mich neben ihn.

Eine hochgewachsene knochige Frau mit langem fahlem, zusammengebundenem Blondhaar in einem schulterbetonten schwarzen Rüschenkleid aus der Mitte der Achtziger spricht mit Alf Mertes vor dem verklinkerten Haus gegenüber. Der Mann legt ihr erst eine Hand auf die Schulter, schlingt dann die andere um ihren Nacken und drückt die unmodische Erscheinung fest an sich.

»Seltsam«, sagt Langer.

»Was?«, frage ich.

»Diese Gefühlsäußerung.«

»Die Frau hat gerade ihren Vater verloren!«, entgegne

ich empört, »da wird sie der Nachbar doch wohl trösten dürfen!«

»Wir sind in der Eifel nicht so ... körperlich.«

»Eine erstaunliche Bemerkung für den Jüngsten von zwölf Geschwistern.«

Er wendet sich mir lächelnd zu. »Sie erinnern sich also an unser Gespräch von gestern!«

»An jedes Wort. Die Frage ist, ob *Sie* sich noch an alles erinnern«, erwidere ich leichthin, aber mit klopfendem Herzen. Er setzt Wasser auf und beginnt eine Menge Kaffee in den Filter der Zweiliterkanne zu schaufeln.

»Wollen Sie sich eine Koffeinvergiftung zuziehen?«

»Nein, aber ich denke, wir sollten Fine Mertes und Gudrun Arndt auch Kaffee anbieten.«

»Sie wollen die beiden doch nicht etwa rüberbitten?«, frage ich entsetzt.

»Nicht nötig, die werden sich schon selbst einladen«, erwidert er. »Fine Mertes wird es sich nicht entgehen lassen, Gudrun Arndt vorzuführen, dass sie sich bereits bestens mit der Schwester ihres Liebhabers versteht.«

Diesen Teil des Gesprächs mit Fine Mertes habe ich ihm also auch anvertraut.

Schon klopft es am Eingang. Ich reiße die Tür auf.

»Es tut mir so leid, Gudrun«, sage ich, bevor Fine den Mund öffnen kann, und reiche der mir etwa Gleichaltrigen die Hand. Sie nickt mit fest zugekniffenem Mund.

»Na so was!«, ruft Fine, bemüht, sich ihre Enttäuschung nicht anmerken zu lassen. »Ihr kennt euch also schon!«

Ich führe die Damen in das vollgestopfte Wohnzimmer. Gudrun blickt sich mit großen Augen um.

»Du warst eben schon lange nicht mehr hier«, bemerkt Fine tröstend und streckt den Arm aus, um der erheblich größeren Frau begütigend auf die Schulter zu klopfen. »Ojottojottojott. Ohne Frau verkommt so ein Mann.«

»Es ist alles schon so lange her«, murmelt Gudrun. Sie lässt sich auf den Sessel fallen und schließt angeekelt die Augen, als eine feine Staubwolke aufsteigt. Wie ein Vogel auf der Stange kauert Fine auf dem Rand des ausladenden Sofas.

Ich nehme die Meißener Tassen aus dem Schrank.

»Die spüle ich besser auch erst einmal ab«, bemerke ich. »Herr Langer brüht gerade Kaffee auf.« Ich fliehe in die Küche.

»Was mache ich jetzt mit denen?«, frage ich Langer flüsternd, während ich heißes Wasser über die Tassen schütte.

»Konversation«, antwortet er nicht sehr hilfreich, nimmt den Filter von der Kanne und marschiert mir voran ins Wohnzimmer.

»Herr Langer, Sie setzen sich am besten dahin«, sage ich und deute auf den Platz neben Fine.

»Ihr siezt euch?«, fragt sie verwundert, nachdem sie den Polizisten in einer mir nahezu unverständlichen Sprache begrüßt hat. »Na so was!«

»Natürlich«, antworte ich. »Warum denn nicht?«

Stumm übersetze ich den Blick in Fines Augen: Weil sein Auto die ganze Nacht vor meinem Haus gestanden hat. Ein Teufel reitet mich. »Herr Langer bewacht mich«, setze ich hinzu. »Tag und Nacht. Der Arme tut nur seine Pflicht.«

»Marcel«, schimpft Fine. »Du glaubst doch nicht wirklich, dass diese nette Frau ihren eigenen Bruder umgebracht hat!«

Gudrun bricht in Tränen aus. Sofort springt Fine auf, setzt sich auf die Lehne des Sessels und tätschelt der Weinenden beruhigend die Hand.

»Ist alles zu viel für sie«, sagt sie entschuldigend zu uns. »Dabei ist sie sonst so tüchtig. Und hält eine Menge aus. Aber erst der Gerd und jetzt ihr Vater ... zwei Tote von der Kehr in zwei Tagen ...«

Und zwei weitere Seiten für das Leichenbuch zu füllen, setze ich gallig für mich hinzu. Voller Entsetzen fällt mir auf, dass ich jetzt schon Eifeler Deutsch zu *denken* beginne.

»Ich kann euch leider kein Gebäck anbieten«, sage ich.

»Aber ich.«

Als wäre er hier zu Hause, verschwindet Marcel Langer in der Küche und kehrt mit einer Tüte Supermarktkekse zurück, die er aufreißt und auf die Mitte des Wohnzimmertisches stellt. Ich ziehe das Testament von Gerd Christensen darunter hervor, falte es mehrfach zusammen und stecke es mir in die Jeanstasche.

»Das ist ein offizielles Dokument«, wirft mir Langer vor, »Sie sollten damit vorsichtiger umgehen.«

»Das ist die Kopie eines offiziellen Dokuments«, weise ich ihn zurecht. »Sie hätten mir doch nie das Original ausgehändigt! Oder billige Kekse daraufgestellt. Wissen Sie überhaupt, wie viele schädliche Stoffe in diesem künstlichen Gebäck stecken?«

»Sehr guter Kaffee, Marcel«, lenkt Fine schnell ab. Ein Hauch von Unfrieden darf offenbar gar nicht erst aufkommen. Auch nicht zwischen der Verdächtigen in einem Mordfall und ihrem Bewacher. Sie wendet sich mir zu und sagt liebevoll lächelnd: »Kaffeetrinken mit Marcel erinnert mich an früher. Er war so ein guter Junge! Kaffee aus Belgien hat er mir geschickt. Geschmuggelt, weißt du, mit seinem Hundeschlitten, und der ist dann einmal umgefallen ...«

Ich ahne, dass ich manche Geschichte noch sehr oft hören werde.

Fine Mertes und Marcel Langer bestreiten das Gespräch, das keines ist. Gudrun hat sich wieder gefasst und müht sich, höflich zu wirken. Gelegentlich fange ich einen Blick von ihr auf, der die gleiche Neugier verrät, die ich auch ihr gegenüber hege. Ich fahnde in ihren Zügen nach einer möglichen Ähnlichkeit mit mir, kann aber keine ausmachen. Doch bei Gerd Christensen habe ich auch keine entdeckt, obwohl unser gemeinsamer Erzeuger einst schrieb, ich sei meinem Bruder wie aus dem Gesicht geschnitten. Da war wohl eher der Wunsch der Vater dieses Vergleichs gewesen. Von einer möglichen Vergewaltigung meiner Mutter durch Werner Arndt hat Karl Christensen vermutlich keine Ahnung gehabt. Im Übrigen sahen sich Gerd und Gudrun erheblich ähnlicher als ich einem von beiden. Nun, sie haben schließlich ein gleiches Großelternpaar, und manches überspringt bekanntlich eine Generation. Dennoch scheint Gudrun etwas mir sehr Verwandtes zu umgeben. Vermutlich gehört auch sie zur großen Familie der Einzelgänger.

Ich erhebe mich von dem steifen Stuhl, den ich an den Tisch gezogen habe, und bemerke wie nebenbei: »Ach, kommen Sie doch bitte mit, Gudrun, ich möchte Ihnen etwas zeigen.«

Fine Mertes verbaler Wasserfall versiegt. Sie steht ebenfalls auf, wagt es dann aber doch nicht, Gudrun und mir in den Flur zu folgen.

Ich entschuldige mich bei Gudrun in der Küche.

»Das war nur ein Vorwand. Ich wollte Sie gern allein sprechen. Wenn es hier im Haus irgendetwas gibt, das Sie gern haben wollen oder das Ihnen gehört, dann sagen Sie es mir bitte. Ich weiß, dass Sie meinen Bruder gut gekannt und gemocht haben.«

Sie lächelt traurig und sagt dann mit erstaunlich fester und wohlklingender Stimme: »Wir können uns ruhig duzen, Katja. Schließlich sind wir fast Cousinen.«

Fast. Ihr Vater und die Ehefrau meines Erzeugers waren Geschwister gewesen. *Wenn* Karl Christensen wirklich mein Vater war. Sollten Fines Andeutungen aber stimmen und Werner Arndt für meine Existenz verantwortlich sein, dann sind wir sogar Schwestern! Dieses so anheimelnd klingende Wort ist mir zuvor überhaupt noch nicht in den Sinn gekommen. Ich schlage die Hand vor den Mund. Ein feines Lächeln breitet sich in Gudruns Gesicht aus. Die knochigen Kanten, die ihm auf den ersten Blick so viel Härte verleihen, verschwinden. Jetzt ist sie beinahe schön. Eine echte Mona Lisa, aber rank und schlank und ohne jegliche Ähnlichkeit mit mir.

»Das ist doch nicht schlimm«, sagt sie. »Ich habe eine Reihe sehr viel unsympathischerer Verwandte.«

»Ich möchte gern in Ruhe mit dir reden«, sage ich. »Ich weiß doch gar nichts über Gerd, über meinen Vater, über deinen und all die anderen sympathischen und unsympathischen Verwandten.«

Als sie nicht antwortet, fürchte ich schon, zu schnell vorgeprescht zu sein. Sie schaut auf ihre Armbanduhr.

»Um halb fünf muss ich zum Melken«, sagt sie, nickt nach Deutschland hinüber, öffnet die Tür unter der Spüle und zieht einen Eimer heraus. »Da kann ich dir noch ein paar Stunden beim Putzen helfen.« Sie lässt Wasser in den Eimer laufen. »Zum Abendessen kommst du dann zu mir. Es ist das erste Haus hinter dem Zollhaus, das mit den roten Umrandungen an den Fenstern. Um acht. Da können wir reden.«

»Ich habe noch nicht gefrühstückt«, werfe ich ein und blicke auf die unausgepackten Plastiktüten.

»Nimm ein paar Kekse. Die sättigen auch«, erklärt Gudrun resolut, stellt den vollen Eimer auf den schmutzigen Küchenboden, schreitet zurück ins Wohnzimmer, klatscht in die Hände und ruft: »Schluss mit dem Kaffeekränzchen. Jetzt wird geputzt!«

Ich zupfe sie am schwarzen Rüschenärmel.

»Doch nicht in dem schönen Kleid«, flüstere ich.

»Mach dich nicht über mich lustig«, gibt Gudrun mit plötzlicher Schärfe zurück. »Es ist scheußlich. Aber das Polyester von damals ist entsetzlich widerstandsfähig. Wenn's kaputtgeht, kann ich das alte Ding endlich wegwerfen. Grund genug, für zu putzen.«

Staunend beobachte ich, wie die Frau, die ich beim Hereinkommen als schüchternes, verhuschtes Mauerblümchen eingeschätzt habe, jetzt das Kommando übernimmt, wie schnell ihre verweinten Augen wieder klar werden. Natürlich, beim Entsiffen eines Hauses, in dem sie schon früher für Ordnung gesorgt hat, ist sie in ihrem Element. Und beim Befehle erteilen. In einer Hauswirtschaftsschule gäbe sie eine prächtige Lehrerin ab. Fine, Marcel Langer und ich werden von ihr herumgescheucht, und Linus lässt sich widerstandslos ins fensterlose Arbeitszimmer einsperren.

»Da wirst du sowieso nie sitzen«, sagt Gudrun zu mir. »Das kannst du später auch noch ausräumen.«

Mir knurrt der Magen. Aber ich vergreife mich nicht an den widerlichen Keksen. Essen ist für mich nur im Notfall ein Sättigungsprozess, ansonsten ein Genuss.

Immerhin habe ich bei dem Notfall vor der Invasion schon den halben Supermarktkuchen in meinen Kaffee getunkt. Langer hat – soweit ich weiß – überhaupt noch nichts gegessen. Und dennoch wuchtet er schwere Möbelstücke zur Seite, schleppt Teppiche auf die Wiese hinter dem Haus, tauscht kaputte Glühbirnen aus und macht sich sein T-Shirt immer dunkler.

Wir arbeiten sehr harmonisch zusammen, bis Fine plötzlich den Kleiderschrank im Schlafzimmer öffnet und erklärt, Gerds Klamotten aussortieren zu wollen.

»Das kann Katja später machen«, bestimmt Gudrun. »Alles in einen Sack fürs Rote Kreuz.«

»Schade um die guten Hosen«, jammert Fine. »Die könnten meinem Alf doch passen!«

»Was für gute Hosen?«, fragt Gudrun verwundert. »Außerdem ist dein Alf kürzer und breiter als der Gerd. Und älter.«

»Er nimmt gerade ab. Und mit dem neuen Bein ist er jetzt länger. Da soll er sich flotter anziehen.«

Gudrun, die bei der Nennung von Gerds Namen wieder feuchte Augen gekriegt hat, bricht in Gelächter aus und schiebt Fine vom Schrank weg. »So ein Quatsch«, sagt sie, »du bist doch sonst nicht so habgierig! Und seit wann interessiert dich, wie der Alf aussieht?«

»Wenn sie die Hosen doch will«, mische ich mich ein. »Nimm sie mit, Fine! Und die Hemden und alles andere auch!«

Fine wirft mir einen dankbaren Blick zu. »Die Hemden brauche ich nicht«, sagt sie abweisend, fegt den Stapel Hosen aus dem Schrank und legt ihn auf das Eichenbuffet im Wohnzimmer. »Schönes Holz«, sagt sie und fährt mit der Hand über die staubige Oberfläche. Da ich für das Riesenmöbel keine Verwendung zu haben glaube, schenke ich es ihr auch gleich. Mitsamt Inhalt. Außer den Meißener Porzellantassen. In Gudruns Augen tritt ein Leuchten, als ich sie ihr anbiete. »Die haben mal meiner Mutter gehört«, sagt sie leise. »Wie so vieles andere in diesem Haus auch. Danke, Katja, da freue ich mich wirklich!«

Marcel Langer offeriere ich die Ölbilder, aber er will weder sie noch irgendetwas anderes haben. Wahrscheinlich würde das als Bestechung gelten. Ich frage mich, wie er sich wohl eingerichtet hat, und stelle mir eine japanische Mönchszelle vor, in der auf metallenen Kaufhausständern zahlreiche ungebügelte Hemden mit zweisprachiger Polizeiaufschrift hängen.

Als die Küche geputzt ist, bastele ich für alle aus den Einkäufen des Polizisten Häppchen. Langer hat sämtliche Zutaten für ein Katerfrühstück mitgebracht. Und darüber hinaus auch reifen Camembert, Lachs und Obst. Das Steak und die Kartoffeln sind wohl als Abendessen gedacht. Bisher ist mir noch kein Mann mit einem so weitblickenden Einkaufsverhalten begegnet. Sehr erstaunlich.

Die illustrierten Brote, wie meine Mutter zu sagen pflegte, ordne ich auf einem Tablett an, verkünde, für heute sei genug geputzt, und lade mein Spontanteam an den Küchentisch ein.

»Na so was, das sieht ja toll aus«, sagt Fine etwas hilflos und fragt: »Was ist das Dunkle auf dem Heringsbrötchen?«

»Schokostreusel«, erwidere ich fröhlich.

»Ach ja, natürlich, und das Glänzende und Bunte auf dem Kochschinken?«

»Honig mit Meerrettich, mit klein gehackter Birne und Gürkchen.«

»Der Meerrettich war eigentlich für den Lachs gedacht«, wirft Langer ein.

»Auf den habe ich etwas Weißkäse sowie mit Honig versetzten Senf und Orangenfilets getan und, wie Sie sehen, das Ganze mit Dill gekrönt«, erwidere ich.

»Ich habe noch nie so etwas Interessantes gegessen«, bemerkt Fine und greift zögerlich nach einem Camembertbrötchen. Sorgsam hebt sie die Apfelscheibe mit dem Klecks Johannisbeergelee ab und beißt hinein.

Als von den Häppchen nur noch das auf dem Tablett liegen bleibt, was meine kulinarisch wenig bewanderten Gäste als interessante Dekoration betrachten, zerstreut sich die Gesellschaft.

Endlich habe ich Zeit und Ruhe, mein so schnell und gründlich geputztes neues Reich ausführlich zu erkunden. Von Staub, Schmutz und dunklen Gardinen befreit, wirkt es gleich viel freundlicher. Ich frage mich, wie ein Ehepaar mit Kind darin Platz gehabt haben sollte. Wohnzimmer, Arbeitszimmer und Schlafzimmer. Hat das Kind etwa in dem fensterlosen Raum geschlafen? Kein Wunder, dass aus ihm ein so mürrischer Erwachsener geworden ist.

Im Flur kann man über eine sehr steile Holztreppe auf den Dachboden gelangen, wo sich zwei mit Gerümpel vollgestellte niedrige Kammern mit Schrägdach befinden. Langer hat erklärt, dieses Chaos sollten wir lieber ein anderes Mal ausmisten. *Wir*. Hat er etwa vor, sich bei mir einzuquartieren? Eine volltrunkene Nacht in meinem Bett gibt ihm noch lange kein Recht, sich und mich als *wir* zu betrachten.

Ich entlasse Linus aus der dunklen Kammer, halte ihn am Halsband fest und trete mit ihm vor das Haus. Nachdem ich mich vergewissert habe, dass ich die Haustür durch einen Dreh am Knauf wieder öffnen kann, ziehe ich sie hinter mir zu. Abschließen halte ich für überflüssig, da mich heute nichts zu einem Spaziergang mit Hund wird bewegen können. Ich will mich nur auf dem eigenen Grundstück ergehen. Das reicht bis weit nach Belgien hinein und ist durch einen an vielen Stellen eingerissenen Zaun abgesteckt. Ich gehe an dem Gerümpel vorbei, das wir als Sperrmüll an der Hauswand gestapelt haben, öffne eine verwitterte Holzpforte, lasse Linus hindurchschießen und sehe sofort eine Ecke, die früher ein Küchengarten gewesen sein mag. Zu meiner Freude entdecke ich zwischen hohen Gräsern Schnittlauch, Thymian, Salbei, wilde Minze und die Maggi-Pflanze Liebstöckl. Ich brauche dringend ein Botanikbuch, um das andere Grünzeug bestimmen zu können, von dem kümmerliche Überreste zu erkennen sind.

Neben dem Schlafzimmerfenster gibt es einen schmalen hölzernen Anbau, der durch eine schief in den Angeln hängende Tür von außen zugänglich ist. Als ich an der Tür ziehe, fällt sie heraus und poltert mir vor die Füße.

Aufgescheucht huscht irgendein kleines braunfelliges Tier heraus und rast über die Wiese. Linus hinterher. Ich lasse ihm seinen Spaß. Von hier aus kann er nicht so ohne Weiteres auf die Straße entfleuchen.

Es kommt mir ein grandioser Gedanke: Wenn ich den Zaun flicken lasse, brauche ich überhaupt nicht mehr mit dem Hund zu gehen.

Im Schuppen entdecke ich eine Unmenge verrosteter Gartengeräte und anderes durch die Zeitläufe unbrauchbar gewordenes Werkzeug. Auf einem Regal sind mehrere gestapelte Holzkisten gelagert, und dahinter erkenne ich ein Fenster in der Hauswand. Also hat auch Gerds Arbeitskammer irgendwann einmal Tageslicht gekannt. Seltsam, dass das Fenster zugebaut worden ist. Ich nehme mir vor, den Schuppen abzureißen und das Bücherregal vor dem Fenster des kleinen Zimmers wegzuräumen. Auch wenn ich mich selbst nicht zum Bleiben entscheiden sollte, könnte ich das Haus so sicher besser verkaufen.

Abgerissen werden müsste auch das einstige Stallgebäude hinter dem Haus. Die Holzkonstruktion mit dem halb eingefallenen Dach wirkt so marode, dass ich es nicht wage, sie zu betreten. Ich luge nur durch das offene Tor in einen großen leeren Raum, in dem früher wohl Vieh untergebracht und Heu gelagert wurde. Wenigstens liegt da keine Leiche.

Das ganze Anwesen sieht nicht aus, als hätte Karl Christensen im Wohlstand gelebt. Ich erschrecke: Was, wenn er oder mein Bruder mir Schulden hinterlassen haben? Mit meinem Verhalten habe ich das Erbe de facto ja schon angenommen. Marcel Langer hätte mich warnen müssen. Er ist schließlich der belgische Beamte! Stattdessen hat er mich regelrecht aufgefordert, das Anwesen in Besitz zu nehmen!

Jetzt hoffe ich auf Gudruns Enthüllungen, auch wenn ich ahne, dass sie nicht so gesprächig wie Fine Mertes sein wird. Aber vielleicht kann sie mir etwas über Gerds Vermögensverhältnisse berichten. Wieder erschrecke ich über mich. Sollte ich nicht viel mehr am Charakter meines Bruders interessiert sein?

Jeglicher Gedanke über das Wesen des zu Tode geschlagenen Gerd Christensen verfliegt, als ich zum Eingang zurückkehre. Die Haustür steht sperrangelweit offen!

Das Herz klopft mir bis zum Hals.

»Fass, Linus«, flüstere ich dem Hund ins umgeklappte Ohr und scheuche ihn hinein. Zum ersten Mal bin ich dankbar für den halben Staffordshire-Terrier in meiner Obhut. Auch wenn sich gewisse Zweifel regen. Was, wenn er den Einbrecher nun totbeißt? Würde man mir nachweisen können, dass ich dem Fast-Kampfhund dazu den Auftrag gegeben habe?

Voller Bangen erwarte ich markerschütternde Schreie und hässliche Knurr- und Schmatzgeräusche. Aber es bleibt still im Haus. Totenstill.

»Linus?«, rufe ich hinein und trete vorsichtig näher. Der Hund lässt sich nicht blicken.

Lockt ihn der Einbrecher etwa mit vergiftetem Fleisch? Ich ziehe aus dem Sperrmüllgerümpel einen wackligen Holzstuhl, packe ihn an der Lehne und breche ihm mit einem kräftigen Fußtritt ein Bein ab.

Solchermaßen bewaffnet, betrete ich, laut nach dem Hund rufend, das Haus. Direkt vor mir schwingt die Badezimmertür auf. Ich hole zum Schlag aus.

»Nicht doch, Katja, ich bin es!«, ruft Alf Mertes und biegt mir rasch das Holzstück aus der Hand. Im Dunkel des Flurs sehe ich Linus auf einem frisch gesaugten Läufer liegen. Er nagt genussvoll an einem großen Knochen.

»Entschuldigung«, sagt der Bauer, der mich gestern in seinem eigenen Haus kaum zur Kenntnis genommen hat, »ich habe geklopft, aber niemand hat aufgemacht.«

»Ich war hinter dem Haus«, entgegne ich freundlicher, als mir zumute ist. Was weiß ich schon von Eifeler Benimmregeln? Vielleicht ist es hier üblich, bei den Nachbarn einfach durch die unverschlossene Haustür zu marschieren. Aber was hat der Mann in meinem Badezimmer zu suchen?

»Schau mal, wie sich Linus über den Knochen freut!« Er nickt zum Hund hinüber. Ich werde immer misstrauischer. Auf seinem Hof gibt es drei Hunde, die er damit hätte erfreuen können.

»Den habe ich rübergebracht«, fährt der Mann, der gestern nur gebrummt hat, leutselig fort, »na und dann, dann ist eben passiert, was Männer in meinem Alter öfter überkommt.« Er lehnt das Stuhlbein an die Wand und flüstert: »Ich musste mal ...«

Und dafür konnte er nicht die zwanzig Schritte über die Bundesstraße gehen?

»Prostata«, setzt er verschwörerisch hinzu. Davon verstehe ich nichts. Im Zweifel für den Einbeinigen, denke ich und biete ihm eine Tasse Kaffee an. Ich erwarte, dass er sich schnell aus dem Staube machen wird, aber zu meiner Überraschung nimmt er die Einladung tatsächlich an.

Während ich den Kaffee aufbrühe, setzt er sich an den Küchentisch und blickt sich anerkennend um.

»Da habt ihr heute aber ordentlich geschuftet!« Konversation ist das Letzte, was ich von dem gestern so barschen und einsilbigen Mann erwarte. Irgendetwas will er von mir, aber was?

»Das mit deinem Bruder tut mir leid«, fährt er fort, »der Gerd war schon ganz in Ordnung, auch wenn manche Leute was anderes sagen.« Beiläufig fragt er: »Hat der Marcel denn inzwischen irgendwas entdeckt, das auf den Mörder hinweist?«

Aha, daher weht der Wind.

»Soweit ich weiß, kümmert sich jetzt die föderale Polizei in Eupen um die Aufklärung«, erwidere ich. »Herr Langer arbeitet in St. Vith. Ich weiß nicht, inwieweit er selbst noch mit dem Fall befasst ist.«

»Vielen Dank auch für die Hosen«, wechselt Alf Mertes das Thema. »Es gibt da nur ein Problem ...«

»Sie sind zu lang und zu eng«, erkläre ich trocken.

»Nein, nein, das ist es nicht, sie passen gut. Aber meine Hose war nicht dabei.«

»Ihre ... deine Hose?« Er hat es geschafft, mich zu verblüffen.

»Ja, das ist nämlich so. Letzte Woche beim Karten hat sich der Gerd bei uns Rotwein auf seine Hose geschüttet, und da habe ich ihm eine von mir gegeben. Und vorhin merke ich, dass der Zettel mit den Kälbchen fehlt. Wir müssen doch immer rechtzeitig bei der Behörde melden, wenn neue geboren sind, die wir verkaufen wollen, sonst setzt es saftige Strafen. Ja, und der Zettel war in der Hosentasche, das hatte ich ganz vergessen ...«

»Und so hast du im Bad nachgesehen, ob der Korb mit Schmutzwäsche da steht«, sage ich mit leichtem Vorwurf in der Stimme.

Er nickt beschämt. »Aber das mit der Prostata stimmt auch«, verteidigt er sich. »Wenn du eben mal schnell nachschauen willst? Eine schwarze Jeans.«

Ich mustere den Mann nachdenklich. Sollte er wirklich in eine Jeans passen, die mir nicht einmal über die Wade geht? Aber warum sollte er lügen?

Er folgt mir ins Schlafzimmer. Ich steige auf einen Hocker und ziehe die Jeans, die mich am Morgen so erschreckt hat, vom Kleiderschrank. Alf Mertes reißt sie mir aus den Händen.

»Da ist ja der Zettel!«, ruft er erleichtert, winkt mit einem zusammengefalteten Stückchen Papier und verschwindet erheblich schneller, als ich es einem Einbeinigen zugetraut hätte. Die Prothese muss wirklich gut sein. Ich renne ihm hinterher und wedele mit der Jeans: »Deine Hose!«

Er ist schon auf der anderen Straßenseite.

»Passt mir nicht mehr!«, ruft er zurück, »ist uralt, mindestens zwanzig Jahre, gib sie dem Roten Kreuz.«

Nachdenklich betrachte ich das Label auf der Rückseite. Eine Timezone-Jeans Ninos. Die vor zwanzig Jahren niemand trug, weil es sie damals noch nicht gab.

Alf Mertes hat mich also angelogen. Mir keinen

Bären, sondern ein paar Kälbchen aufgebunden. Weil er hinter einem Zettel her war, der in der Jeans eines toten Mannes gesteckt hat, der bei Lebzeiten von der Landwirtschaft nichts wissen wollte.

Ich erwäge nur kurz, über die Straße zu rennen und Alf zur Rede zu stellen. Sinnlos. Er würde mir jetzt nie und nimmer den richtigen Zettel aushändigen. Und wenn dieser Fetzen Papier etwas mit dem Mord an meinem Bruder und in diesem Zusammenhang auch mit Alf Mertes zu tun hat, wäre es höchst unklug, mir meinen Argwohn anmerken zu lassen.

Ich will mich mit einem ausgiebigen Wannenbad ablenken, halte es aber nur kurz im Wasser aus. An Entspannung ist nicht zu denken, zu viele Einfälle und Sorgen überfluten mein Hirn. Ich werde sehr bald lauter Entscheidungen treffen, Verantwortung übernehmen und Angelegenheiten regeln müssen. Begriffe wie Beerdigung, Nachlassgericht, Gentest, Umzug, Familie, Hund, Bank, Giftgas, Berliner Wohnung, Kanarienvogel, Bunker, Wolfgangsee wirbeln mir durch den Kopf. Aber überlagert wird die ganze Melange von dem scheußlichen Wörtchen Mord.

Fast alles hängt davon ab, was die Pathologen herausfinden. Bei Gerd *und* bei Werner Arndt.

Es verstärkt sich das sehr ungute Gefühl, dass Gudruns Vater nicht einfach verunglückt ist, sondern dass irgendjemand den Alten loswerden wollte. Meine Gedankengänge führen mich auf immer abenteuerlichere Pfade. Alf Mertes hatte guten Grund, Werner

Arndt zu hassen, wenn dieser Mann schuld am Tod seines Bruders und dem Verlust seines Beines war. Nach dem Krieg war Alf Mertes ein Kind gewesen. Wieso hätte Arndt ihn und seinen Bruder auf vermintes Gebiet scheuchen sollen?

Plötzlich fällt mir wieder etwas ein, was mir Langer in dieser whiskynassen Nacht erzählt hat: Wie nach Kriegsende erwachsene Deutsche strafunmündige Kinder zum Schmuggeln abgerichtet und über die Grenze geschickt hatten. Ganze Banden sollen das gewesen sein.

Oder vielleicht gehörte Gudruns Vater Werner auch zu denjenigen, die jüdischen Flüchtlingen große Summen abgenommen haben, um sie über die Grenze zu schaffen. Vielleicht ist mein Bruder im Zuge seiner Recherche dahintergekommen, und Arndt hat ihn um die Ecke gebracht, weil Gerd seine Erkenntnisse öffentlich machen wollte. Hat Gerd den Werner Arndt erpresst? Vielleicht hat sich mein Bruder mit Alf Mertes verbündet, um Arndt zu schaden. Was steht nur auf diesem ominösen Zettel? Meine Gedanken drehen sich im Kreis. Nur eins erscheint mir sicher: Die beiden hätten bestimmt nicht schriftlich festgehalten, Arndt in den Wolfgangsee zu stoßen.

Für Alf Mertes gab es einen weiteren Grund, Werner Arndt zu hassen. Fine hat mehr als nur angedeutet, wie erbarmungslos Gudruns Vater einst hinter ihr her gewesen war. Kein Mädchen hätte er »in Ruhe« gelassen. Könnte durchaus ein Euphemismus sein. Vielleicht hatte er einst Mädchen wie Fine oder meiner Mutter Gewalt angetan. Oder beiden. Und sich dann ihr Schweigen mit Geld erkauft. Vielleicht hat er meine Mutter mit einer ordentlichen Summe versehen, damit sie sich nach Berlin absetzt und da mich, das Kind der Schande, bekommt. Er war einmal sehr reich, der Großgrundbesitzer von der Kehr, hatte Fine höhnisch bemerkt. Um einen solchen Besitz zu verlieren, hätte er schon mehr Mädchen ausgezahlt haben müssen, als hier wohnten! Vielleicht hat er sich irgendwo eine anspruchsvolle Geliebte gehalten oder Lustreisen unternommen, die ihm kein Konzern spendiert hat. Oder beides und noch viel mehr.

Von Langer weiß ich, dass auf der Kehr früher nur arme Leute wohnten, in einer rauen, unwirtlichen Landschaft, in der die Saison für ertragreichen Anbau viel zu kurz war. Ein von beiden Weltkriegen gezeichnetes und mehrfach umkämpftes Gebiet; hier verlief der Westwall. Davon zeugen heute noch die Höckerlinie – was immer das ist – und jede Menge Bunker. In einem ist Karl Christensens Ehefrau Maria umgekommen, die Schwester von Werner Arndt.

Es gelingt mir nicht, den Gedanken an jene Frau zu verdrängen, die dem Glück meiner Mutter offenbar im Weg gestanden hatte. *Ich sage ja nicht, deine Mutter hat dat arme Maria in dat Betonloch jeschubst ...* Wenn überhaupt geschubst wurde, erscheint es mir viel wahrscheinlicher, dass Karl Christensen das Schubsen übernommen hatte, als seine Frau zum Pilzesammeln auszog. Er hat Anna ja aus der Ferne immer noch angehimmelt, während sie von ihm nichts mehr wissen wollte. Ist sie deshalb abgehauen, weil sie ihr Glück nicht auf einem Mord aufbauen wollte?

Vielleicht ist Werner Arndt dahintergekommen und hat Karl Christensen erpresst? Und Gerd hat das herausbekommen? Wer weiß, was für Rechnungen aus früheren Jahren noch offenstehen! Jagdszenen aus der Westeifel.

Ich stelle das Grübeln ein. Alle diese Theorien führen mich nicht weiter. Ich brauche endlich Fakten. Selbst wenn sich herausstellen sollte, dass in mir jede Menge mörderischer Gene schlummern. Welch eine Verwandtschaft! Meine Mutter hat gut daran getan, sie mir vorzuenthalten. Ich hätte nie herkommen dürfen.

Das Gespräch mit Gudrun wird sicherlich einiges klären. Ich bin hoch gespannt und ziehe mich dreimal um, bis ich mich schließlich für ein schlichtes dunkles Sommerkleid mit kurzen Ärmeln und eine Wolljacke entscheide. Die Tage hier sind noch immer sehr warm, aber ich habe schon festgestellt, dass am Abend oft ein kalter Wind weht. Ich beschließe, Linus im Haus zu lassen, da ich nicht weiß, ob er Gudrun mag – schließlich hat sie ihn vor dem Putzen in die dunkle Kammer gesperrt – oder sie selbst Hunde hat, mit denen er sich nicht so gut versteht wie mit dem Spitz von gegenüber. Fünf Minuten vor dem verabredeten Termin mache ich mich zu Fuß auf den Weg und stehe dann um Punkt acht vor Gudruns Tür.

Ihr Elternhaus besteht aus altem Fachwerk und scheint erheblich geräumiger zu sein als mein neues Domizil. Ich ziehe am Strick einer Glocke vor dem

Haus. Das Läuten hallt weit über die Felder. Niemand öffnet. Kein Hund schlägt an.

Ich läute noch einmal und setze mich dann etwas verwundert auf eine Bank vor dem Haus. Vielleicht ist sie nur kurz weggefahren, um Essen aus dem Restaurant zu holen? Das große Auto im Hof könnte ja auch ihrem Vater gehört haben.

Die Minuten verrinnen, und mit jeder Minute wird mir banger zumute. Ist ihr womöglich auch etwas zugestoßen? Ich schiebe diesen düsteren Gedanken sofort beiseite.

Um zwanzig nach acht mache ich mich auf den Weg zum Hof der Mertes. Aus Fines Erzählungen weiß ich, dass sich Gudrun so ziemlich um alles kümmert, was den Nachbarhof angeht. Vielleicht hat ja unerwartet eine Kuh gekalbt, und sie ist daher nicht abkömmlich.

Aber auch bei Familie Mertes reagiert niemand auf mein Läuten. Ich gehe in den Stall. Der ist leer. Die Kühe müssen also wieder auf der Weide sein. Nordrhein-westfälische Kühe, die auf der Nachbarwiese rheinland-pfälzisches Gras fressen. Fine hat mir das in einem Ton erzählt, als habe sie dem Finanzamt ein Schnippchen geschlagen. Und das hat sie ja vielleicht auch. Was weiß ich schon von landwirtschaftlichen Steuern?

Vielleicht ist das Ehepaar Mertes ja zum Essen ausgegangen. Aber wo steckt Gudrun?

Ich kehre zu ihrem Haus zurück und läute Sturm. Der Glockenton schrillt mir noch lange in den Ohren.

Außer einer aufgescheuchten Katze rührt sich auf diesem Hof immer noch nichts. Ich gehe um das am Hang gelegene Haus herum, das auf der Rückseite zweistöckig ausgebaut ist.

Das Stallgebäude ist genauso verlassen wie das meines Bruders, sieht aber im Gegensatz zu diesem nicht wie ein zerbombtes Relikt des Zweiten Weltkrieges aus. Ein alter Traktor steht darin.

Ich pflücke eine reife Tomate aus dem sehr gepflegten Gemüsegarten und lutsche sie aus. Mir ist ziemlich schwummerig zumute, aber das liegt garantiert nicht an meinem Hunger. Nach den Erfahrungen der vergangenen fünfzig Stunden habe ich jetzt furchtbare Angst, dass Gudrun wirklich etwas zugestoßen ist.

Drei Tage, drei Leichen, denke ich. Aus lauter Verzweiflung rufe ich Marcel Langer an.

»Gudrun Arndt ist verschwunden!«, brülle ich ins Telefon.

»Wie, verschwunden?«

Ich sage, dass sie mich zum Essen eingeladen hat, der Hof aber wie *ausgestorben* daliege. Schon das Wort lässt mich erzittern.

»Dann ist ihr eben etwas dazwischengekommen.«

»Da hätte sie mir doch Bescheid gegeben.«

»Wie denn? Kennt sie Ihre Handynummer?«

»Nein«, erwidere ich.

»Und der Anschluss Ihres Bruders ist gesperrt. Ihr wird schon nichts passiert sein. Es hat bisher noch nie einen Mord auf der Kehr gegeben. Regen Sie sich ab, Frau Klein, gehen Sie nach Hause und kochen Sie sich etwas Schönes. Ich habe Ihnen heute Morgen auch Steak, Kartoffeln und Quark gekauft. Grillfleisch und Kartoffeln in Silberfolie mit Kräuterquark klingt doch ganz verlockend, oder nicht?«

Was erdreistet er sich, mir kulinarische Vorschläge zu unterbreiten, während ich um das Leben einer Frau bange, die wir beide kennen!

»Sie sollten herkommen und die Tür aufbrechen! Wenn Gudrun nun dort in ihrem Blut liegt!«

»Dazu werde ich keine Genehmigung erhalten. Das ist Deutschland. Außerdem gibt es keinen Grund anzunehmen, dass Gudrun in Gefahr ist.«

»Keinen Grund?«, fauche ich, »es gab jedesmal einen Toten, wenn ich in den vergangenen zwei Tagen das Haus verlassen habe!«

Erst als die Worte ausgesprochen sind, begreife ich, wie er sie verstehen könnte. Die reinste Selbstbezichtigung! Mir bleibt nichts, als zum Angriff überzugehen: »Wenn Gudrun heute Nacht schwer verletzt in ihrem Haus stirbt, werde ich Sie wegen unterlassener Hilfeleistung anzeigen!«

Wütend kappe ich die Verbindung.

Beamte! Fantasielose Bürokraten! Paragrafenreiter! Die Belgier sind keinen Deut besser als ihre deutschen Kollegen! Und Langer ist obendrein noch herzlos. Kann er sich denn nicht in meine Lage versetzen?

Ich komme mir wie ein Todesengel vor, als ich um Gudruns Haus herumstreiche. Kurz überlege ich, die deutsche Polizei anzurufen. Aber welche? Wer ist für

109

Gudruns Haus zuständig? NRW oder Rheinland-Pfalz? Und was sollte ich sagen? Dass ich fürchte, die Frau sei Opfer eines Verbrechens geworden? Weil ihr Vater gestern in den Wolfgangsee gefallen ist, sie mich zum Essen eingeladen und versetzt hat? Das klingt in der Tat nicht sehr überzeugend.

Aber ich spüre, dass etwas nicht stimmt. Meine Menschenkenntnis sagt mir, dass Gudrun ein großes Bedürfnis hatte, mit mir zu reden. Nur ein sehr wichtiges Ereignis würde sie davon abhalten. Wie zum Beispiel ihre Ermordung.

Na schön, wenn mir die Behörden nicht helfen wollen, dann werde ich eben selbst recherchieren. Das habe ich schließlich gelernt!

Allerdings habe ich noch nie zu den Journalisten gehört, die, mit dem Presseausweis bewaffnet, in fremde Häuser eindringen, dort Fotos und Bettlaken klauen, Schoßhündchen vergiften, Schreibtische aufbrechen, den Champagner austrinken und das Dienstmädchen zum Sprechen oder sonst wie verführen. Solche Kollegen verachte ich nur.

Trotzdem werde ich jetzt in Gudruns Haus einbrechen. Sie ist keine Berühmtheit, der ich ein Verhältnis mit einem anderen Promi nachweisen will. Sie ist eine Frau, die in einer sehr gefährlichen Gegend wohnt und deren Leben ich möglicherweise retten kann.

Als sich eine Kellertür öffnen lässt, gehe ich – wie Alf Mertes heute bei mir – einfach hinein. Ich werfe einen kurzen Blick in geordnete Kellerräume mit zahllosen Regalen voller Einmachgläser, mit Werkzeugen, der Heizungsanlage und ordentlich gestapelten Kartons. Ohne das Licht auf der Kellertreppe anzuknipsen, schleiche ich hinauf und öffne vorsichtig die Tür zu einer geräumigen Diele. Ich hole tief Luft.

»Gudrun?«, rufe ich und spitze die Ohren, damit mir ein mögliches Stöhnen nicht entgeht. Meine Knie sind ziemlich weich. Der potenzielle Angreifer könnte sich ja noch im Gebäude befinden. Ich trete auf die Haustür zu und öffne sie weit, ehe ich beginne, den Rest des Hauses zu durchsuchen. Im Notfall werde ich wenigstens schnell rausrennen können.

Ähnlich massive Möbel und bunte Ölbilder wie im Haus meines Bruders. Die Porzellan-Tassen, die ich Gudrun am Nachmittag geschenkt habe, zieren bereits den Kaminsims im Wohnzimmer. Ich betrachte sie gerührt.

Plötzlich höre ich etwas. Leise Schritte in der Diele, ein Schlurfen. Stille. Dann ein dumpfes Geräusch, als stoße jemand mit der Faust eine Tür auf. Eine Tür mit ungeölten Scharnieren. Das Quietschen wird erstickt, ehe es richtig anschwellen kann. Leises Schnaufen aus einer Menschennase. Die Schritte kommen näher.

Zitternd, aber mit unendlicher Vorsicht ziehe ich den eisernen Schürhaken geräuschlos aus dem Kaminbesteck neben der Feuerstelle. Er ist schwer und an zwei Stellen zugespitzt, eine wesentlich geeignetere Waffe als ein Stuhlbein.

Ich schleiche an die offene Wohnzimmertür und verberge mich halb dahinter. Mein Herz, das eben noch so heftig geklopft hat, scheint kurzfristig mit dem

Schlagen auszusetzen. Ich kann kaum noch atmen. Ein Schatten fällt auf die Wand im Flur. Eindeutig ein männlicher Schatten, der sich dem Wohnzimmer bedrohlich lautlos nähert. Mir bleibt nur ein Überraschungsangriff. Sonst bin ich geliefert. Ich hole tief Luft und stürze mit lautem Geschrei und erhobenem Schürhaken in die Diele.

Ein stechender Schmerz fährt mir durch die Hand. Mit lautem Klappern schlägt meine Waffe auf dem Holzboden auf. Und ich daneben.

Tag 4, Montag, morgens

Die Hand schmerzt immer noch, als ich den Reißverschluss meiner Jeans hochziehe. Ich stutze. Etwas
Sensationelles ist über Nacht geschehen: Die Hosen
schlackern fast an mir herum! Und diesmal sind es
ganz bestimmt meine. In mir erwacht die Journalistin.

»Mord statt Sport« titele ich für eine imaginäre Diät-
seite.

Leises Klappern und unmelodisches Summen dringen aus der Küche. Marcel Langer, der diese Nacht auf
dem gesäuberten Wohnzimmersofa verbracht hat, ist
also noch nicht zum Dienst gefahren und bereitet das
Frühstück vor. Ich freue mich darauf. Schließlich habe
ich seit dem Imbiss mit meiner Putzkolonne nichts
mehr zu mir genommen.

Dankbar mustere ich mein leicht geschwollenes
Handgelenk. Wie gut, dass mir der Polizist den Schürhaken so geistesgegenwärtig entwunden hat! Woran
ich mich auf dem Holzboden von Gudruns Diele noch
nicht erfreut habe.

Gestern Abend

»Was schleichen Sie hier herum!«, schrie ich ihn wütend an, als mir endlich aufgegangen war, wer mich da
so erschreckt hatte.

»*Sie* haben mich angerufen«, antwortete Langer
ebenfalls recht atemlos. Er trug keine Uniform, sondern graue Jeans und ein buntes Holzfällerhemd.

»Da schreit man dann *Aufmachen, Polizei!*«, schleuderte
ich ihm den Satz entgegen, mit dem sich die Staatsgewalt in Krimis normalerweise Zutritt verschafft.

»Ich darf in Deutschland nicht als Polizist auftreten!
Jedenfalls nicht, ohne eure Behörden zu informieren.
Außerdem stand die Haustür sperrangelweit offen!«

Er habe also davon ausgehen müssen, dass etwas
nicht stimme, sagte er, zumal mein Auto nicht mehr
vor Gudruns Tür zu sehen gewesen sei. Auf meine
Frage, weshalb ich das kurze Stück denn in meiner
Blechkiste hätte zurücklegen sollen, antwortete er, der
Eifeler gehe grundsätzlich nicht zu Fuß, wenn er es verhindern könne. Gudrun fahre zum Melken schließlich
auch die dreihundert Meter zum Merteshof. Was uns
sofort zum Grund meines Anrufs und seines Herum-
schleichens brachte. Gudruns Auto stand vor der Tür,
demnach konnte sie nicht weit sein.

Langer zog sein Handy hervor. »Vorhin hatte ich
nur die Mailbox«, erklärte er, während er eine Nummer eintippte.

Plötzlich entspannte sich sein Gesicht.

»Also ist alles in Ordnung mit dir?«, hörte ich ihn sagen. Und dann: »Ja, Katja Klein ist bei mir.« Er reichte mir den Apparat.

Wortreich entschuldigte sich Gudrun. Ein alter Freund sei plötzlich aufgetaucht. Er habe vom Tod ihres Vaters gehört und sie nach Stadtkyll zum Essen gefahren. Überrascht von dem unerwarteten Besuch, habe sie die Verabredung mit mir völlig vergessen. Wirklich glauben konnte ich ihr das nicht.

Als mich Langer in seinem Wagen zu meinem Haus zurückbrachte, deutete ich auf den Merteshof.

»Deren Auto steht auch vor der Tür, und trotzdem hat mir vorhin niemand aufgemacht«, bemerkte ich trotzig.

»Wollen wir mal nachsehen?«, bot er mit gewisser Ironie in der Stimme an. Ich schüttelte stumm den Kopf. Mein Bedarf an einer Unterhaltung mit Fine war erst einmal gedeckt. Und auf den vermeintlichen Kälbchenzettel wollte ich Alf später ansprechen.

»Guten Morgen«, begrüßt mich Langer, als ich jetzt, am Morgen danach, die Küche betrete. »Sie werden noch zur richtigen Eifelerin, Frau Klein. Großstädter stehen doch normalerweise nicht mit den Hühnern auf!«

Außer, wenn sie ihren toten Bruder in einer Lebendkrippe auffinden, fällt mir plötzlich wieder ein. Ein mulmiges Gefühl steigt in mir auf. Es schwindet auch nicht angesichts des einfallsreich gedeckten Frühstückstisches. Jedes frühe Aufstehen der vergangenen

Woche hat fatale Folgen gezeitigt. Warum sollte es heute anders sein?

»Bin eben ausgeschlafen«, gebe ich bockig zurück. Schwäche habe ich gestern genug gezeigt.

Wie es gestern weiterging

Langer hatte mich am Abend eigentlich nur zu Hause absetzen wollen, aber irgendwie war mir beim Aussteigen schwindlig geworden. Wahrscheinlich vor lauter Hunger. Der Polizist aber diagnostizierte eine physische Schockreaktion und riet mir dringend vom Essen ab. Ich würde alles nur wieder erbrechen.

»Zu viel Aufregung in zu kurzer Zeit.«

Damit ich die Nahrung, an der ich letztendlich ersticken würde, nicht doch aufnahm, bestand er auf sofortiger Bettruhe, bastelte mir eine kühlende Kompresse für das Handgelenk und setzte seine Rund-um-die-Uhr-Bewachung auf dem Sofa im Wohnzimmer fort, wo er den Fernseher einschaltete. Dankenswerterweise hatte er mir die Bemerkung erspart, ich würde schon nicht vom Fleische fallen. Seine Sensibilität hielt sich zwar in Grenzen, aber die der meinen respektierte er. Zum vertrauten Klang des »Tatort«-Abspanns schlief ich dann irgendwann ein.

Als ich mich jetzt am Küchentisch niederlasse, legt Linus sofort seinen Kopf in meinen Schoß. Um ihn loszuwerden, werfe ich eine Scheibe geräucherten Schinkens auf den Boden.

»Man füttert Hunde nicht beim Essen!«, maßregelt mich der Polizist. Ich werfe gleich zwei Scheiben hinterher und sehe Langer herausfordernd an. Am Vorabend war ich viel zu gefügig. So etwas darf nicht einreißen.

»Außerdem ist der Schinken viel zu salzig für das Tier«, fährt er unbeirrt fort, steht auf und stellt dem schinkengesättigten Hund eine Wasserschüssel hin. Dann richtet er sich wieder auf und bleibt wie versteinert stehen.

»Was ist denn da los?«, ruft er und deutet mit ausgestrecktem Arm aus dem Fenster.

»Wo?«, frage ich, während ich versuche, mit einem viel zu stumpfen Messer von dem steinharten, herrlich reifen Stück Gouda dünne Bröckchen für die Ingwermarmelade auf meinem Brötchen abzuschaben. Sollte ich doch länger hierbleiben, bräuchte ich eine Reihe neuer Küchen-Utensilien.

»Die Polizei ist bei Mertes. Die Kollegen aus Schleiden. Irgendwas muss da drüben passiert sein. Ich geh mal rüber und schau nach.«

Rasch stecke ich mir einen Schnipsel Käse in den Mund und folge ihm über die Straße. Vor dem Haus steht ein rotes Cabrio. Woran erinnert mich das nur?

Drinnen finden wir zwei deutsche Polizisten und eine völlig aufgelöste Fine Mertes vor. Sie sitzt auf dem Sofa im Wohnzimmer, flankiert von Gudrun und einem mir unbekannten Mann, dessen modisches Styling von knallgrünen Lederschuhen unterstrichen wird. Androgyne fein ziselierte Gesichtszüge, die italienische Renaissancemaler inspiriert und alle Modeschöpfer, die ich kannte, zu Elogen hingerissen hätten. Kurzum, mal wieder ein schöner Mann, der für die Frauenwelt unverkennbar verloren ist.

»Alf ist tot«, sagt Gudrun leise, als wir eintreten. »Auch ermordet worden. Erschlagen.«

»Hätte ich ihn doch nicht allein jehen lassen!«, jammert Fine und schlägt sich auf die Wangen.

»Ruhig, Mutter«, sagt der grün beschuhte Mann beschwichtigend und ergreift ihre Hände, »vielleicht hat das wenigstens dir das Leben gerettet.«

Um sechs Uhr morgens ist Alf Mertes im Losheimer Sägewerk mit eingeschlagenem Schädel aufgefunden worden. Mit dem Gesicht nach unten im Sägemehl.

»Blut und Sägemehl, wie furchtbar das stinkt«, flüstert einer der Polizisten.

»Direkt gegenüber dem Hotel Balter«, setzt Marcel Langer für mich hinzu. Also etwa hundert Meter von jener Stelle entfernt, an der meinen Bruder das gleiche Schicksal ereilt hat. Das kann doch kein Zufall sein!

Das denken die drei Polizisten offensichtlich auch. Sie ziehen sich zur Beratung in den Flur zurück.

»Jeder von uns hat in den letzten Tagen Familie verloren«, sagt Gudrun in die plötzlich entstandene Stille hinein. »Ich glaube auch nicht mehr, dass mein Vater nur ertrunken ist.«

Der Schöne nickt. »Da draußen läuft ein Mörder frei rum. Oder eine Mörderin«, sagt er und sieht mich eindringlich an.

»Katja Klein, Hein Mertes«, holt Gudrun die Vorstellung eilig nach.

»Mein Beileid.« Ich reiche ihm meine Hand.

»Auch so«, erwidert er kurz angebunden, übersieht meine angebotene Hand und streichelt mit seiner sorgfältig manikürten weiter die zittrigen Finger seiner Mutter. Ganz klar, er hält mich für einen unerwünschten Eindringling, vielleicht sogar für eine Mörderin.

»Wann habt ihr es denn erfahren?«, frage ich.

»Als ich heute zum Melken kam, war der Alf nicht da«, berichtet Gudrun. »Da habe ich die Fine geweckt, damit sie mir hilft.«

Die war zunächst nicht sonderlich beunruhigt, sondern glaubte, Alf hätte die Nacht bei einem Kartenbruder in Losheim verbracht. Jeden Sonntagabend fahre er zum Karten dorthin, erläutert Gudrun. Aber gestern habe er beschlossen, die drei Kilometer zu laufen.

»Ich denke, der Eifeler geht nicht zu Fuß?«, setze ich mein neu erworbenes Wissen ein.

»Probelauf mit der neuen Prothese, sagt meine Mutter.« Hein Mertes übernimmt das Wort, ohne mich anzusehen. »Er ist die Höckerlinie entlanggegangen, aber nur bis zum Sägewerk gekommen.«

»Das wussten wir aber nicht, als ich heute Morgen mit der Fine in den Stall ging«, wirft Gudrun ein.

»Und ich habe noch so über ihn jeschimpft!«, jammert Fine, »dat ich trotz meine Migräne melken muss, weil er sich mal wieder hat vollllaufen lassen! Weil seine Kumpels zu besoffen waren, für ihn heimzufahren! Dabei sind die doch sonst nicht so jenau. Saufen wie die Löcher, und wer ein Auto hat, der benutzt es auch. Und dann verpennt er auch noch. Und lässt mich mit die vielen Kühe und meine Migräne allein! Ich habe ihn richtig verflucht, na so was! Ojottojottojott!«

»Der Herr wird dir verzeihen«, beruhigt Hein seine Mutter. Sie setzt sich auf und streicht sich das gelöste nass geweinte Grauhaar aus dem Gesicht. »Ruf den Herrn Pfarrer an. Ich muss zum Beichten!«

»Du legst dich jetzt erst mal hin, Mutter«, sagt der Sohn und hilft der Frau, die gestern mein Haus so emsig geputzt hat, mit anmutigen Bewegungen aus der Sofalandschaft heraus. Jetzt kann sie ohne Unterstützung kaum stehen. »Dr. Knauff kommt gleich und wird sich um dich kümmern.« Er wendet sich an die Polizisten, die wieder eingetreten sind.

»Ihr braucht sie doch nicht mehr?«, fragt er.

Der rotgesichtige Ältere schüttelt den Kopf.

»Wir müssen in unsere Dienststellen«, sagt er. »Scheint, dass alle diese Todesfälle zusammenhängen.« Er seufzt. »Ein Toter in Belgien, einer in Rheinland-Pfalz und einer bei uns in NRW. So etwas hat es noch nie gegeben. Das muss irgendwie koordiniert werden.«

Mutter und Sohn verlassen das Wohnzimmer. Marcel Langer verabschiedet sich von mir.

»Heute Abend wissen wir mehr«, meint er, »dann liegen die ersten Obduktionsberichte vor.«

Ich nehme ihn zur Seite.

»Könnten Sie bei mir einen Gentest machen lassen?«, frage ich flüsternd.

»Sie wollen Gewissheit haben, dass Karl Christensen wirklich Ihr Vater ist?«

Ich nicke. »Ich weiß, dass so etwas teuer ist, aber weil ich doch eine Verdächtige bin, haben Sie vielleicht auch was davon, wenn Sie mir den Gefallen tun ...«

Er zögert. Ich ziehe ein sauberes Papiertaschentuch aus meiner Jeanstasche, spucke ordentlich hinein, falte es zusammen und drücke es ihm in die Hand.

»Ihr Einverständnis brauche ich aber noch schriftlich«, murmelt er.

»Wird nachgeliefert«, flüstere ich und verkünde vernehmlich: »Vielen Dank, Herr Langer, dass Sie die Nacht dageblieben sind. Damit bin ich wenigstens dieses Mal aus dem Schneider.«

Er mustert mich nachdenklich, während er das Taschentuch einsteckt.

»Alf Mertes ist vor einundzwanzig Uhr ermordet worden, so viel steht bereits fest.«

Die einzige Zeit, für die ich kein Alibi habe.

»Marcel hat wieder bei dir übernachtet, und ihr siezt euch immer noch?«, fragt Gudrun, nachdem sich die Tür hinter den Polizisten geschlossen hat und ich mich auf Fines Sofa niedergelassen habe.

»Damit seine Frau nicht misstrauisch wird«, gebe ich zurück.

»Seine Frau? Die ist ihm doch schon vor Jahren davongelaufen.«

Das erklärt einiges. Wahrscheinlich hat sie den Hund beim Essen gefüttert.

»Und was passiert jetzt?«, frage ich Gudrun.

»Wir alle müssen irgendwie normal weitermachen«, antwortet sie. »Und entschuldige noch mal für gestern. Hein ist überraschend aufgetaucht. Wir haben uns lange nicht mehr gesehen, und da habe ich unsere Verabredung vergessen.«

»Wart ihr nicht mal miteinander verlobt oder so etwas?«, frage ich, mich an eine der wenigen Bemerkungen erinnernd, die Alf Mertes bei meinem ersten Besuch in seinem Haus gemacht hat.

Gudrun zeigt ihr hübsches Lächeln. »Verkauf mich bitte nicht wieder für dumm, Katja«, sagt sie mit leisem Vorwurf in der Stimme. »Wie bei dem Kleid gestern. Du hast doch gemerkt, dass er schwul ist. Seine Eltern haben keine Ahnung, die hätten uns gern als Paar gesehen. Mein Vater auch …«

»Und deine Mutter?«

»Die ist bei meiner Geburt gestorben. Hat mir mein Vater nie verziehen.« Fast unhörbar setzt sie hinzu: »Wir haben uns nicht sonderlich gemocht.«

»Bitter«, sage ich mitfühlend. »Warum bist du dann nicht weggezogen?«

»Einfach abgehauen wie deine Mutter damals?«, fragt sie.

Ein Kloß formt sich in meinem Hals. Ich nicke.

»Dafür fehlte mir der Mut.« Sie steht auf, tritt ans Fenster und blickt nach Belgien hinüber.

»Außerdem gehöre ich hierher. Das merke ich besonders, wenn ich Hein in Köln besuche. Er wohnt mitten in der Stadt.« Sie schüttelt sich. »Wenn man vor die Tür tritt, wird man von Leuten auf Skates fast umgefahren. Und überall Autos, Gestank und Lärm. Und die Menschen erst! Keiner grüßt den anderen, und alle haben es eilig. Nee, Katja, da würde ich genauso versauern wie die armen Bäume mitten auf dem Pflaster, die ständig von verfetteten Hunden angepinkelt werden. Migräne würde ich da kriegen wie die Fine. Aber jetzt das mit dem Alf ...« Sie hebt rätselnd die Schultern, breitet die Arme mit der Handinnenfläche nach oben aus und wendet sich mir wieder zu.

»Wer könnte denn ein Interesse daran gehabt haben, ihn aus dem Weg zu räumen?«, frage ich.

»Dat Finchen zum Beispiel«, sagt Gudrun mit traurigem Lächeln. »Was meinst du, warum der Alf jede Gelegenheit zum Karten genutzt hat! Bloß weg aus dem Haus wollte er. Was haben sich die beiden gezofft!«

»Worüber denn?«

»Über alles Mögliche. Über den Hof. Den hat die Fine mit in die Ehe gebracht, und sie fand, dass der Alf ihn schlecht führte ...«

»Stimmte das denn?«, frage ich.

Gudrun schüttelt den Kopf. »Überhaupt nicht. Er hat viel besser gewirtschaftet als mein Vater und den Hof erst zu dem gemacht, was er heute ist. Aber dafür mussten Anschaffungen gemacht werden. Teure. Der Futter-Roboter zum Beispiel. Und der neue Melkstand. Hat alles ein Vermögen gekostet. Was hat die Fine da gezetert! Aber für selbst zu melken oder zu füttern, war sie sich zu fein ...«

»Wieso?«, unterbreche ich sie überrascht, »wenn sie doch in der Krippana als Putzfrau arbeitet?«

»Ihre Ausrede, für nicht in den Stall zu müssen. Nach der Arbeit in so einem feinen Laden stinkt man nicht. Außerdem ist Putzen für die Eifelerin nichts Ehrenrühriges.«

»Wie der gestrige Tag gezeigt hat«, sage ich und denke an meine Mutter, die mit großer Würde ihre Feudel ausgedrückt hatte.

»Aber auch darüber gab es Zoff«, fährt Gudrun fort. »Das Essen stand eben nicht immer pünktlich auf dem Tisch. Und über den Hein haben sie gestritten. Der Alf ließ kein gutes Haar an ihm. Da hat ihm seine Frau nur einen Sohn geboren, und dann weigert sich der, Bauer zu werden! Der Alf wollte aus ihm einen *ganzen Kerl* machen. Was hat der den armen Jungen früher malträtiert! Er warf Fine vor, ihn verzärtelt zu haben.«

»Also wissen sie doch, dass er schwul ist.«

»Wo denkst du hin! Das würde ihnen nie einfallen. Solche Leute kennt man doch nicht. Schon gar nicht in der eigenen Familie. Wenn der Alf gekonnt hätte, wäre er schon vor Langem gegangen. Sogar mich hat er mal gefragt, ob ich nicht mit ihm weg und woanders neu anfangen will, so verzweifelt war der! Die Fine hat er nie geliebt, nicht einmal leiden mochte er die, das hat er mir gesagt, aber der Hof war nun mal ihre Mitgift, und sie hatte überall die Finger drauf. Eben nur nicht auf dem Alf selbst.«

»Wie meinst du das?«, frage ich.

Gudrun wendet den Blick ab. »Oh Gott«, seufzt sie, »der Umgang färbt ab; ich werde doch noch zum richtigen Klatschweib. Aber egal, jedenfalls hat die Fine den Alf seit Heins Geburt nicht mehr rangelassen.«

»Migräne?«

»Ausrede. Weil, sie hat den Alf richtiggehend gehasst. Nach außen war alles tipptopp, aber wenn man mit den beiden so eng zusammenarbeitet wie ich, da kriegt man schon mit, was wirklich los ist.«

»Warum haben sie sich dann nicht scheiden lassen, wenn diese Ehe so grässlich war?«

Gudrun mustert mich, als käme ich von einem anderen Stern. Was wahrscheinlich auch zutrifft.

»Bauern in der Eifel lassen sich nicht scheiden. Sie ertragen einander bis zum bitteren Ende. Oder einer bringt den anderen um. So nach und nach, verstehst du? Die Fine hätte den Alf nicht erschlagen, sondern ihn ganz langsam vergiftet, da bin ich mir sicher. Sie hätte ihn gründlich gequält, nach außen hin liebevoll umsorgt und Mitleid geheuchelt.«

Eine halbe Stunde später

Jetzt, in meinem belgischen Haus am Küchentisch, bin ich mir dessen nicht so sicher. Als ich gestern kurz nach zwanzig Uhr bei Mertes Sturm läutete, hat mir niemand geöffnet. Selbst wenn sich Fine mit ihrer Migräne ins Schlafzimmer verzogen hat, die Neugier hätte sie doch bestimmt an die Tür getrieben! Oder die Hoffnung, Hein würde ihr in Abwesenheit des Vaters einen Überraschungsbesuch abstatten. Vielleicht war sie gar nicht zu Hause, weil sie ihrem Mann heimlich gefolgt ist. Ihm dann im Sägewerk erst die Prothese weg- und danach den Schädel eingeschlagen hat.

Nach Gudruns Erzählung scheint mir das Landleben alles andere als gesund zu sein.

Während ich Linus geistesabwesend streichele, fällt mir wieder das rote Cabrio ein, das ihn gestern beinahe umgenietet hätte. Wie viele solcher Autos gibt es denn in dieser Gegend?

Seit wann hält sich Hein hier auf? Warum hat er sich nicht wenigstens bei der Mutter gemeldet, der er doch so zärtlich zugetan scheint?

Ich beiße in das mittlerweile ausgetrocknete Ingwer-Gouda-Brötchen und lege es angeekelt wieder hin. Der Appetit ist mir vergangen. Wenn das mit diesen Morden so weitergeht, werde ich mir doch eine neue Garderobe kaufen müssen. Aber eine Nummer kleiner!

Gudrun, die in vorteilhafter Kleidung sicher eine beneidenswerte Figur aufweist, war zu der fraglichen Zeit ebenfalls unterwegs. Angeblich mit Hein. Und sie hat mir ungefragt eine Menge Intimitäten aus dem Familienleben der Mertes verraten. Irgendwie passt das nicht zu einer Frau, die so oft den Mund zusammenkneift.

Wieder setze ich mir eine Theorie zusammen: Gudrun und Hein haben sich verbündet, um den jeweils ungeliebten Vater umzubringen. Aber dann hätten sie sich nicht gegenseitig entlastet, sondern jeder hätte sich für die entsprechende Tatzeit ein hieb- und stichfestes Alibi zurechtgelegt. Wenn ich Langer diese These unterbreite, wird er garantiert fragen, wie mein Bruder in diese Serie hineinpasst. Irgendwie, überlege ich. Vielleicht hat ihn Gudrun erschlagen, weil er sie abserviert hat? Hat er das denn? Es fällt sicherlich nicht nur mir schwer, Hein als brutalen Totschläger zu sehen. Die Sache sähe anders aus, wäre mein Bruder von einer silbernen Krawattennadel durchpiekst, Arndt in einer Parfümlache versenkt und Alf Mertes in der häuslichen Badewanne durch ein Epiliergerät elektrifiziert worden ...

Dennoch, irgendetwas verbindet Gudrun und Hein, etwas, das sie nicht preisgeben wollen, da bin ich mir ganz sicher.

Ich ergreife Linus am Halsband.

»Komm, Dicker, wir gehen raus.«

Ich will mir den letzten Weg von Alf Mertes ansehen. Linus werde ich die ganze Zeit an der Leine halten und auf jeden hetzen, der mir zu nahe kommt. Den Gedanken, ein Küchenmesser einzustecken, verwerfe ich. Wahrscheinlich würde ich nur über irgendeine Wurzel stolpern und es mir selbst ins Bein rammen.

Meine Jeans rutscht. Zum ersten Mal in meinem Leben brauche ich einen Gürtel. Da ich aus verständlichen Gründen weit fallende Klamotten bevorzuge, besitze ich so etwas nicht. Aber ich habe eine Auswahl von Ledergürteln in Gerds Schrankschublade gesehen.

Ich lasse Linus los. Im Schlafzimmer ziehe ich die ganze Schublade heraus und kippe sie um. Mein Blick fällt auf ein Gerät, das sich bei näherer Betrachtung als Elektroschocker herausstellt. Ich teste ihn. Er sprüht Funken. Gut. Falls Linus den potenziellen Angreifer besser als mich kennen und sein Vorhaben billigen sollte, habe ich zumindest eine Waffe. Nur wohin damit? Einfach die Schlaufe übers Handgelenk ziehen und das Gerät sichtbar herumtragen. In der großen Politik wirkt die Strategie der Abschreckung ja auch.

Ich wähle einen passenden Gürtel aus und verstaue das Handy in meiner Hosentasche. Wenn mir Marcel Langer Neuigkeiten mitteilen will, muss ich erreichbar sein. Und ihn erreichen können, falls mich jemand in einen Bunker schubsen will.

Ich fühle mich unangreifbar, als ich mit Linus und Elektroschocker Belgien verlasse und die Landstraße überquere.

Wo genau verläuft nun die heute mehrfach erwähnte Höckerlinie, die bis zu meinem ehemaligen Hotel führt?

Vermutlich parallel zur Bundesstraße, die Deutschland von Belgien trennt. Vor dem Wald auf der Mitte zwischen Gudruns Haus und dem ehemaligen Zollhaus fallen mir auf der rechten Seite zwei Bauwerke auf. Ein offensichtlich leer stehendes Containergebäude, das der Aufschrift nach den Kampfmittelräumdienst beherbergt, und daneben eine Art Hobbit-Domizil, ein von Gras völlig überwucherter Hügel mit dunkler Steinmauer und Tür. Kein Bunker, wie ich beim Näherkommen feststelle, sondern ein *Hochwasserbehälter* aus dem Jahr 1965. Die Adresse ist auch angegeben: *Auf dem Gericht*. Hier, fern jeder richtigen Besiedelung, war früher wohl eher Recht – oder was man dafür hielt – ausgeübt als gesprochen worden. Wie viele Gehenkte mochten auf diesem Hügel an Galgen geschaukelt haben? Auf meinen Armen richten sich die Härchen auf, und ich schlage rasch den unbefestigten Weg links ein. Linus zieht an seiner Leine, aber ich lasse ihn nicht frei. Die Angst sitzt tief. Schließlich kann jetzt jederzeit jemand hinter einem Baum hervorspringen und mich niederschlagen. Ich sollte lieber umkehren. Angsthase, schelte ich mich, du bist doch kein kleines Kind mehr, das Angst vorm schwarzen Mann im Wald hat! Tapfer marschiere ich weiter.

Ich komme an einem Holzlager vorbei, an einer winzigen Lichtung, in der irgendetwas angebaut wird, und stoße dann tatsächlich auf einen Weg, der parallel zur Bundesstraße nach Nordwesten führt. Ein finsterer Pfad, von hohen Bäumen gesäumt, die keinen Strahl der Sommersonne durchlassen. Ein *Kreuzweg*. Auch so ein unheilschwangeres, von Aberglauben besetztes Wort. Im Spreewald hat mir mal eine alte Sorbin etwas von Kreuzwegen erzählt, an denen man zum eigenen Schutz einen Pfennig vergraben und das Vaterunser rückwärts aufsagen sollte. Ich habe weder einen Pfennig dabei, noch könnte ich das Vaterunser auch nur vorwärts herunterbeten.

Was jetzt vielleicht ganz sinnvoll wäre. Denn es raschelt im Unterholz. Geäst knackt. Knurren, Schnauben, Fauchen. Erschrocken weiche ich ein paar Schritte zurück, kneife die Augen zusammen, um das Ungeheuer erkennen zu können, dessen Kehle die ekligen Geräusche entfleucht sind. An einem seltsam dreieckigen moosbewachsenen Felsen schiebt sich ein fettes schwarzes Hinterteil vorbei. Ein Wildschwein! Dessen Vorderteil mich offenbar gewittert und zum Glück abgelehnt hat, denn das Tier prescht augenblicklich tiefer in den Forst hinein. Leicht bebt der Waldboden und mein Herz mit ihm. Wildschweine kenne ich aus Berlin und weiß, dass mit ihnen nicht zu spaßen ist. Erleichtert atme ich aus.

Als ich mir den Fels, hinter dem das Vieh gescharrt hat, näher betrachten will, fällt mir eine ganze Ansammlung solch merkwürdig knie- bis schulterhoher, grün überzogener Steine rechts und links im Wald auf.

Wieder mit den Gedanken an die Galgenvögel des Mittelalters, stelle ich mir erst eine Art Miniatur-Stonehenge vor, ein Überbleibsel einer heidnischen Kultstätte. Als aber immer mehr dieser dreieckigen, sich nach oben verjüngenden Steine in Reih und Glied rechts und links des Weges auftauchen, fühle ich mich an einen Soldatenfriedhof erinnert. Auf dem unterschiedlich hohe ausgerichtete Steine Gräber bewachen.

Jetzt begreife ich: Dies muss also die Höckerlinie sein. Und wenn hier die Grenze verlief, sollten diese Dinger wohl die Westgrenze des Dritten Reichs befestigen.

Ich trete auf einen überwucherten Stein zu, kratze an seinem grünen Kleid und entdecke darunter Beton. Als ich die unebene Oberfläche streichele, läuft mir ein Schauer über den Rücken. Ein böses Gebilde. Wie viel Leid hat es über Menschen gebracht? Wie viel Blut hat die Erde wohl an dieser Stelle aufgesogen? Welch ein Wahnsinn, künstliche Steine anzupflanzen, um die Welt zu erobern.

»Das ist Adolfs Limes!«, ertönt plötzlich eine Stimme hinter mir. Ich lasse den Stein los, wirbele herum und greife zu meinem Elektroschocker. Wie der Vampirjäger das Kreuz halte ich ihn Hein Mertes entgegen.

Der bleibt stehen und hebt die Hände.

»Bitte, Frau Klein«, fleht er. »Keine Gewalt! Das kann ich nicht ertragen. Wussten Sie, dass mein Vater eigentlich Adolf hieß? Und was damit über meine Großeltern gesagt werden muss?«

»Nicht bewegen!«, blaffe ich ihn an. Linus wedelt mit dem Schwanz. Ich lasse den in diesem Fall völlig nutzlosen Hund los, ziehe mit der linken Hand mein Handy aus der Tasche, tippe mit dem Daumen rasch ein: *Bin mit Hein an der Höckerlinie* und sende die SMS an Langer.

Auch Hein Mertes hat sein Handy hervorgezogen und bewegt den Daumen.

Ich rühre mich nicht vom Fleck. Dem Mann, der mir nicht die Hand reichen wollte, werde ich keinen Schritt entgegengehen. Lange Zeit mustern wir einander voller gegenseitigem Misstrauen. Vor mir steht ein scheinbar harmloser Dandy. Aber so hatte der Serienkiller Ted Bundy auch ausgesehen.

»Doc Martens«, bricht Hein schließlich das Schweigen und deutet auf meine Schuhe, deren verräterische gelbe Naht kaum noch sichtbar ist.

»Forzieri«, erwidere ich mit Blick auf seine grünen Schuhe.

Er nickt anerkennend.

»Jetzt, da dies geklärt ist und wir uns beide per SMS abgesichert haben, können wir vielleicht normal miteinander reden?«, schlägt er vor und setzt hinzu: »Vor wem hatten Sie mehr Angst, vor mir oder vor dem Wildschwein?«

»Weder noch«, lüge ich, »Wildschweine haben wir in Berlin auch. Sehr ärgerlich, wenn sie die Vorgärten umpflügen.«

»Hier muss Sie der Jagdpächter entschädigen, wenn sich ein Wildschwein an Ihrem Land vergreift.«

»Der Jagdpächter räumt den Garten wieder auf?«

»Nein, er schießt ein Wildschwein und schenkt Ihnen das Fleisch.«

»Einfach irgendein Wildschwein?«

»Klar, er weiß doch nicht, welches den Schaden angerichtet hat.«

»Also Sippenhaft«, sage ich mit betontem Vorwurf in der Stimme.

Hein lacht. »Wenigstens gilt die Sippe in der Eifel noch was.«

Weswegen man dieser auch keine Scheidung zumutet, sondern lieber zum langsamen Morden Zuflucht nimmt, denke ich und überlege, wie ich Hein über die Ehe seiner Eltern ausfragen kann.

»Wollen Sie Ihr schreckliches Gerät nicht endlich wegstecken?«, fragt Hein und deutet auf den Elektroschocker.

Er tritt auf mich zu und reicht mir mit versöhnlichem Lächeln die Hand.

Ich lasse mir Zeit und ihn ein wenig mit ausgestreckter Hand vor mir stehen, während ich das Handy einstecke. Der Elektroschocker baumelt mir noch am Handgelenk, sodass es nur zu einer flüchtigen Berührung der Fingerspitzen kommt, als ich Heins Rechte ergreife.

»Sie glauben wohl, dass ich meinen Vater umgebracht habe«, stellt er fest.

»Das weiß ich nicht.«

»Sowie Ihren Bruder und Gudruns Vater?«

»Möglich ist alles.«

»Da war ich aber in Köln.«

»Stimmt nicht«, bluffe ich. »Ich habe Sie gestern gesehen. Als Sie Linus beinahe totgefahren haben.«

»Wo soll das denn gewesen sein?«, fragt Hein und krault Linus hinter dem umgeklappten Ohr.

»Na, als Sie mit einem Affenzahn direkt am Haus Ihrer Mutter vorbeigebrettert sind. Im roten Cabrio.«

Hein schüttelt den Kopf. »Ich gestehe, dass ich gestern tatsächlich in der Gegend war, schwöre aber, an allen Mordanschlägen unschuldig zu sein, auch an dem auf Linus.«

»Ich habe Sie aber gesehen!«

»Nicht mich, sondern ein rotes Cabrio, und davon gibt es viele. Meins meidet die Nähe zu meinem Elternhaus, wenn ich mich heimlich in der Eifel aufhalte. Was ich gestern getan habe. Das können Sie gern dem Marcel erzählen, aber bitte nicht meiner Mutter. Die würde ausflippen, wenn sie wüsste, dass ich, ohne sie zu besuchen, hier war, und vor allem wo und weshalb. Aber ganz bestimmt nicht, um Gudruns Vater in den Wolfgangsee zu schubsen.«

Erwartungsvoll blicke ich ihn an.

Er schüttelt den Kopf und erklärt: »Ich sage es Ihnen, wenn wir uns besser kennen. Dazu wäre förderlich, wenn Sie mir das Du anbieten.«

Ich bin der Aufforderung kaum gefolgt, als sich in die ersten Klänge von *Always Look on The Bright Side of Life* aus meiner Hosentasche eine Marianne-Rosenberg-Melodie aus Heins Jackentasche mischt.

Jeder legt sein Handy ans Ohr.

»Alles in Ordnung«, sage ich zu Marcel Langer. »Ich komme nur Ihrem Befehl nach und lasse Sie wissen, wo und mit wem ich unterwegs bin.«

Mit den Worten: »Nein, natürlich habe ich keine Angst!«, nehmen Hein und ich von unserem jeweiligen Gesprächspartner Abschied. Die identische Wortwahl zur selben Zeit trägt erheblich zur Entspannung der Lage bei.

Unwillkürlich müssen wir beide lachen.

»Braucht Ihre Mutter Sie jetzt nicht?«, frage ich, als sich Hein anbietet, mich auf dem letzten selbstständig eingeschlagenen Weg seines Vaters zu begleiten.

»Unser Hausarzt ist ein Fan der Pharmaindustrie«, erwidert er. »Meine Mutter auch. Jetzt ist sie so zugedröhnt, dass sie bis zum Abend schlafen wird. Und ich brauche frische Luft.«

Nein, von diesem Mann geht keine Bedrohung aus. Ich fühle mich wieder sicher und bin sogar froh, den Weg nicht allein machen zu müssen. Mit den Schrecken der deutschen Geschichte vor Augen können wir es vermeiden, über die Schrecken der jüngsten Ereignisse zu sprechen.

Hein frischt meine historischen Kenntnisse auf. Er erzählt mir von Hitlers Limesprogramm, dem sogenannten Westwall, einer Befestigungsanlage von der Schweizer Grenze bis zum Niederrhein, zu der auch die 130 Kilometer lange Höckerlinie gehörte. Gräben und umfangreiche Stacheldrahtverhaue waren ihr einst vorgelagert. Damit sollten tatsächlich bis zu achtunddreißig Tonnen schwere Panzer abgewehrt werden.

»Die Alliierten nannten diese Steine früher Drachenzähne«, sagt Hein. »Und heute kommen immer wieder Amis her, für Teile des Westwalls zu kaufen.« Er weist in den Wald, aus dem sich zwischen Fichten ein bizarr geformtes Steinmassiv erhebt.

»Einer der unzähligen Bunker, die hier in der Gegend im Rahmen dieses Siegfried-Programms errichtet wurden. Diesen Bunker hat man später gesprengt«, erklärt er.

»Ist das der, in den damals Karl Christensens Frau Maria gestürzt ist?«, frage ich betroffen.

Er zuckt mit den Schultern. »Könnte sein. Das war lange vor meiner Geburt.«

Und kurz vor meiner, denke ich, und vielleicht sogar *wegen* meiner ...

Ich schiebe diesen bösen Gedanken schnell fort und lehne Heins Vorschlag ab, näher an die verschobenen überwucherten Betonmassive heranzugehen. Man sollte aus dem Schicksal anderer lernen und das eigene nicht herausfordern. Irgendwann werde ich diese Stätte allein erkunden und der fremden Maria gedenken. Der Mutter meines totgeschlagenen Bruders.

»Rate mal«, sagt er, mein Unbehagen offensichtlich spürend, »wer sich heute für den Erhalt dieser alten Kriegsanlagen einsetzt.«

»Neonazis?«, schlage ich das Nächstliegende vor.

Er schmunzelt.

»Ganz im Gegenteil. Die Grünen und diverse andere Umweltschützer. Auf dem Beton der Höckersteine wohnen jetzt allerlei Moose und Flechten. Und in den ollen Bunkern können Vögel ungestört brüten. Der Zaunkönig, der Steinschmätzer, der Neuntöter ...«

»Der was?«, frage ich.

»Der Neuntöter, eine Vogelart aus der Familie der Würger.«

Ich schweige und lausche dem fröhlichen Gezwitscher in den Baumwipfeln. Von Vögeln mit sehr bedrohlichen Bezeichnungen. Nicht einmal die Natur trägt hier friedliche Namen!

»In den gesprengten Höhlen der Bunker hausen auch Wildkatzen, Füchse, Dachse und Marder«, fährt Hein fort. »Und Fledermäuse, vor allem die vom Aussterben bedrohten.«

»Wie Dracula«, sage ich, »dem würde ein Dasein zwischen all den Drachenzähnen und Neuntötern sicher sehr behagen.«

Ich atme befreit auf, als wir kurz danach aus dem dunklen Wald wieder in die offene Landschaft treten. Im Schatten der schmalen Baumreihe, die unseren Pfad von der Bundesstraße trennt, wirkt die Höckerlinie jetzt weniger gespenstisch.

Zu unserer Rechten drehen sich träge die riesigen Flügel zahlreicher Windräder, die sich über Felder voller Wildblumen erheben.

Ich pflücke einen Strauß und lasse mir von Hein die Namen der unbekannten Blüten nennen.

»Bist du Florist?«, frage ich.

Er schüttelt den Kopf.

»Auch nicht Friseur oder Balletttänzer«, gibt er mit feiner Selbstironie zurück. »Ich arbeite als Eventmanager in Köln.«

»Was für Events?«

Er überlegt einen Moment, sagt dann: »Meine Mutter lasse ich in dem Glauben, dass ich Schützenfeste und Volksmusikabende organisiere.«

»*Ich bin so wie duhu*«, trällere ich den Marianne-Rosenberg-Sound, der aus seinem Handy gekommen ist.

»Die Richtung stimmt«, sagt er anerkennend, »Events für die schwule Community in Köln.«

»Die soll doch ganz schön rege sein, stimmt's?«

»Richtig, aber gerade deswegen reißen sich immer mehr der großen Organisationen die Events unter den Nagel.«

»Und graben dir das Wasser ab.«

»So ist es. Über kurz oder lang werde ich mich verändern müssen. Wenn ich meinen Lebensstandard halten will.«

»Jetzt könntest du ja Bauer werden«, schlage ich vor.

Er wirft mir einen vernichtenden Blick zu. »Und das, wo wir uns eben noch so gut verstanden haben!«, klagt er.

»Aber was soll denn aus dem Hof deiner Eltern werden?«

»Mutter soll ihn verkaufen und sich zur Ruhe setzen. Das wäre für alle Beteiligten am besten.«

Unser Gespräch verstummt, als wir das Gelände des Sägewerks betreten, in das unser Pfad mündet. Mein Blick fällt sofort auf den hohen Sägemehlberg. An dessen Fuß befindet sich ein mit rot-weißen Bändern abgesperrtes Viereck.

»Genau hier ...«, sagt Hein leise.

Wir treten nahe an die Absperrung heran und blicken auf einen dunklen Fleck.

Seltsame Gedanken gehen mir durch den Kopf. Wenn es ein Jenseits gibt, wird Alf da wieder mit seinem Bein vereinigt werden? Warum stinkt Sägemehl, in das Blut sickert? Gleicht die Wunde an Alfs Kopf der meines Bruders und der von Werner Arndt?

»Mögest du Frieden haben«, sage ich laut und werfe meinen Feldblumenstrauß dorthin, wo noch vor wenigen Stunden der tote Alf gelegen hat.

»Ich lade dich zum Kaffee ein«, sagt Hein, »aber steck das Ding vorher weg.«

Er deutet auf den Elektroschocker, der immer noch an meinem Handgelenk baumelt.

»Wohin?«, frage ich. Ganz so weit sind meine Hosen noch nicht geworden.

Hein zieht sich das Paisley-Seidentuch aus dem lindgrünen Hemd, wickelt meine Waffe sorgsam darin ein, sodass nur noch die Schlaufe heraushängt und reicht mir das Gebilde.

»Könnte jetzt glatt als Pralinenschachtel durchgehen«, meint er.

Wir bewegen uns an lärmenden Maschinen, riesigen Fahrzeugen, Holztransportern, die wie Spinnenungeheuer aussehen, und geschäftigen Arbeitern vorbei, überqueren die Bundesstraße und setzen uns im Ardenner Cultur Boulevard gegenüber dem Hotel Balter in die Cafeteria des Grenzmarktes.

Ich habe einen Bärenhunger und verschlinge einen ganzen belgischen Reiskuchen. Er schmeckt nicht schlecht, aber ich hätte ihn gern noch mit Birnenkompott, Schlagsahne und Splittern aus schwarzer Schokolade angereichert.

Hein deutet aus dem Fenster.

»Wollen wir uns die Krippenausstellung ansehen?«

Beim Anblick des Schriftzugs *KRIPPANA* gefriert mir das Blut in den Adern.

»Das ist nicht dein Ernst!«

»Mein voller. Erstens kannst du nur durch Konfrontation dein Trauma überwinden, und zweitens lohnt es sich wirklich. Ich gehe da gern hin.«

»In eine Orgie von Kitsch«, wehre ich ab.

»Klar gibt es da Kitsch, aber auch jede Menge Kunst. Du wirst staunen, was der Balter Michael so alles an interessanten Dingen zusammengetragen hat.«

»Eifeler Bauernkunst. Der selbst geklöppelte Misthaufen.«

»Nett«, sagt Hein, »Wir mögen es besonders gern, wenn Leute aus Berlin herkommen und uns zurückgebliebenen Hinterwäldlern sagen, wo's geschmacklich langgeht. Damit wirst du dir hier viele Freunde machen.«

»Entschuldigung«, murmele ich, ehrlich bestürzt, den schwulen Kölner Eventmanager an einem wunden Punkt getroffen zu haben. »Aber wir müssen doch noch den ganzen Weg zurückgehen, und meine Füße tun mir jetzt schon weh. Da kann ich nicht auch noch durch eine Ausstellung latschen.«

»Ich empfehle geeignetes Schuhwerk«, sagt er, immer noch nicht wirklich besänftigt.

Vielsagend blicke ich auf seine eleganten grünen Halbschuhe unter dem Tisch.

»Meinen Füßen geht es prima«, bemerkt er. »Du musst erst noch lernen, welches Outfit dir hier guttut.«

»Wahrscheinlich muss ich hier überhaupt noch viel lernen.«

»Stimmt«, sagt er. »Wenn du hierbleiben möchtest.«

»Erst mal muss ich das«, weiche ich aus. »Herr Langer hat mich noch nicht von der Liste der Verdächtigen gestrichen.«

»Und was sagen der Staatsanwalt und die föderale Polizei dazu?«

»Mit denen habe ich noch nicht gesprochen.«

Hein lächelt. »Dann giltst du nicht wirklich als Verdächtige. Da hättest du deinen Pass abgeben müssen und dürftest dich nur in Belgien bewegen. Und müsstest dich jeden Tag bei der Polizei melden.«

»Das muss ich auch«, entgegne ich trotzig.

»Bei dem Marcel? Der ist doch nur Polizeiinspektor in St. Vith. Der ist nicht für Gewaltverbrechen und deren Aufklärung zuständig.«

»Nicht?«, frage ich verwirrt. »Warum hängt er dann dauernd bei mir herum?«

Hein greift über den Tisch nach einer meiner Hände und zwingt mich, ihm in die Augen zu sehen.

»Weil er dich für eine heiße Schnitte hält?«

Ich ziehe meine Hand weg. »Aus dem Alter bin ich raus«, sage ich verärgert.

»Genau wie er«, gibt Hein friedfertig zurück. »Aber das Verwuschelte und Zerknitterte hat doch einen ganz eigenen Charme. Hat die Modebranche schließlich auch entdeckt. Das muss ich dir ja nicht sagen. Jedenfalls würde *ich* ihn nicht von der Bettkante schubsen. Und ihn nicht zu lange zappeln lassen.«

Ich schweige. Mit jedem Wort würde ich ihm nur weitere Munition liefern. Ich staune darüber, wie sehr es mich enttäuscht, dass Marcel Langer die Ermittlungen nicht leitet. So als brauchte ich eine Entschuldigung, um mit ihm in Verbindung zu bleiben. Schließlich hat er mir nicht befohlen, mich täglich bei ihm zu melden. Was ich ja auch nur notgedrungen tue.

»Soll ich dir zeigen, wo ich gestern war?«, fragt Hein plötzlich.

»Kennen wir uns dafür jetzt gut genug?«, gebe ich zurück.

»Ich denke schon. Wir haben alles aus dem Beziehungsbuch hinter uns. Misstrauen, den Austausch von Geheimnissen, wobei du allerdings etwas zurückhaltender warst, den Abbau von Vorurteilen, Streit und Versöhnung. Wir gehen jetzt in die Krippana. Danach laufen wir noch ein kleines Stück und werden dafür später nach Hause gefahren.«

Er zieht sein Handy wieder hervor, telefoniert kurz und ersteht dann eine Schachtel der in der Cafeteria angepriesenen belgischen Pralinen aus eigener Herstellung.

Zusammen überqueren wir die Straße, binden Linus vor dem farbenprächtigen Gebäude an und betreten den Verkaufsraum der Krippana.

Ein Paradies für jeden Esoteriker. Heilsteine so weit der Blick reicht. Riesige Sandrosen, Leuchten aus Himalaja-Salzkristall und unzählige Bergkristalle. Neugierig berühre ich einen vielzackigen Bergkristall in der Größe jenes Teils, an dem das Blut meines Bruders geklebt hat. Ich hebe ihn an, aber er ist so schwer, dass ich ihn sofort wieder absetze. Selbst jemand meines Formats könnte damit niemanden erschlagen.

Michael Balter stürzt herbei, reicht Hein die Hand und kondoliert ihm.

»Furchtbar, furchtbar«, sagt er. Zwei Morde in der Nachbarschaft und so kurz nacheinander! Natürlich verstehe er, dass Fine jetzt anderes um die Ohren habe, als zum Putzen zu kommen. Wie gut, dass Hein aus Köln herbeigeeilt ist!

Balter begrüßt mich mit traurigem Lächeln und dankt mir, dass ich trotz meines grauenhaften Erlebnisses vergangene Woche seine Ausstellung besichtigen wolle. Selbstverständlich seien wir seine Gäste.

Als wüsste er, dass weder Hein noch ich an den zahlreichen in die Wand eingelassenen oder am Weg aufgestellten Krippenlandschaften Interesse haben, führt er uns als Erstes zu einem Schaufenster, hinter dem lebensgroße Puppen in einer Kneipenlandschaft sitzen. Balter wirft eine Münze in einen Schlitz, und mit einem Mal werden die Puppen zu blechernen musikalischen Klängen lebendig. Der Kneipier hinter dem Tresen gießt sich eine rote Flüssigkeit ein, trinkt sie aus und gießt nach. Zwei Männer an einem Tisch schütteln Würfelbecher, werfen die Würfel auf den Tisch und sammeln sie wieder ein.

»Sehr lebensecht«, sage ich ehrlich beeindruckt.

»Stimmt, wenn man davon absieht, dass in dieser Gegend mehr gekartet als gewürfelt wird«, meint Hein.

»Hauptsächlich Coujon«, stimmt Balter nickend zu. Er ist inzwischen in die Szenerie eingestiegen, um uns die Mechanik zu zeigen.

»Nicht in Deutschland«, erwidert Hein. »Bei uns spielt man kein Coujon. Da ist Tuppen angesagt. Und damit kann man erheblich mehr Geld verzocken als mit eurem braven belgischen Coujon. Früher hat da so mancher Haus und Hof verspielt.«

»Genau. Vor Jahrzehnten soll der Gemeinderat von Baasem beim Tuppen sogar einen Teil seines Gemeindewaldes an den Gemeinderat von Kronenburg verloren haben«, fügt Balter kopfschüttelnd hinzu und fordert uns auf, die Mechanik seiner Figuren genauer zu betrachten. »Alles mechanisch, nix mit Computer-Technik!«, sagt er stolz und lässt die Puppen noch einmal tanzen.

Danach führt er uns in einen von Tageslicht erfüllten Raum mit modern anmutenden afrikanischen Steinskulpturen.

»Das ist Shona-Kunst«, erklärt Balter. »Speziell für unsere Krippana angefertigt. Die Shona sind der größte Volksstamm Simbabwes. Frau Klein ...?«

Ich höre nicht hin. Denn durch das Fenster blicke ich genau auf die Außenkrippe, auf jene Stelle, an der ich meinen Bruder vor drei Tagen tot aufgefunden habe. Ich sehe wieder genau vor mir, wie er dort lag. Aber aus dieser anderen Perspektive fällt mir etwas Bedenkliches auf. Etwas, das ich zuvor weder bedacht noch gesehen habe und das mich sehr beunruhigt.

»Bitte, Frau Klein, fassen Sie den Stein doch mal an«, ruft Michael Balter.

Ich gehorche und trete näher an eine hohe Frauengestalt heran, die mich entfernt an ein Picasso-Werk erinnert. Als ich mit den Fingern zunächst noch etwas geistesabwesend über die kalte Fläche streiche, fällt mir ein, dass ich heute bereits einen anderen Stein berührt habe, einen zur Vernichtung errichteten Drachenzahn. Der mich schaudern gemacht hat.

»Was spüren Sie jetzt?«, fragt Michael Balter gespannt. Meine Antwort überrascht mich selbst.

»Leben«, sage ich erfreut, »dieser Stein ist irgendwie lebendig.«

»Genau!«, Michael Balter strahlt. »Die Mythologie der Shona unterscheidet nicht zwischen lebendiger und lebloser Materie, zwischen organischer und anorganischer. Sie glauben, dass man auch das Wesen und die Seele von Steinen ergründen kann. Für die Shona ist die ganze Schöpfung beseelt.«

Hein ist bereits nach draußen gegangen und steht vor der Lebendkrippe.

»Wo genau hat dein Bruder gelegen?«, fragt er leise, als ich mich neben ihn an den schlichten Holzzaun stelle.

Stumm deute ich mit dem Finger auf die Stelle neben Maria und Josef.

»Warum hinter diesem Zaun?«, fragt er. »Was wollte er dort?«

Ich zucke mit den Schultern.

»Vielleicht sich Marias Gewand genauer betrachten«, antworte ich. »Er schrieb doch an einer Arbeit über den Faltenwurf von Marien-Gewändern im Wandel der Zeiten und Kulturen.«

»Wohl kaum im Wandel des Windes«, bemerkt Hein. »Hier zieht's nämlich ganz ordentlich. Da kriegste keinen vernünftigen Faltenwurf hin.«

»Der Mörder hat mit solcher Wucht zugeschlagen, dass Gerd über diesen niedrigen Zaun gestürzt ist«, schlage ich vor.

»Und der Bergkristall lag auch im Stallbereich?«

Ich nicke.

»Fast hinter ihm. Das finde ich auch rätselhaft. Was soll ein Bergkristall in einer Krippe?«

»Spurensicherung und Rechtsmedizin werden bestimmt bald die richtigen Antworten liefern«, meint Hein.

Die richtigen. Oh Gott. Ich kann es kaum erwarten.

Balter lässt uns durch dasselbe Gatter hinaus, durch das ich zum ersten Mal den Tatort betreten habe.

»Geht es dir gut?«, fragt Hein. »Du bist ganz blass geworden.«

»Sitzt mir alles noch in den Knochen«, murmele ich, schüttele die finsteren Gedanken ab und frage: »Wie weit ist es denn zu deinem geheimnisvollen Ort?«

»Nur ein kurzer Weg«, beruhigt er mich.

Die Kürze des Weges steht im Gegensatz zu seiner Höhe. Wir stiefeln ein ganzes Stück bergauf, ehe wir in eine Ortschaft namens Losheim kommen.

»Links immer noch Belgien?«, frage ich.

Er schüttelt den Kopf. »Da macht die Grenze einen Schlenker. Um das Dorf herum. Und unten nur um das Hotel Balter herum. Rechts und links davon ist Belgien. Und die Rückwand ist quasi die Grenze.«

»Seltsam.«

»Überhaupt nicht. Ende der Fünfziger wurden die Bewohner in Losheim befragt, ob sie zu Deutschland oder Belgien gehören wollten. Eine knappe Mehrheit – ich glaube, es war sogar nur eine Stimme – entschied sich damals für Deutschland. Da hat's dann einen richtigen Kleinkrieg gegeben. Mit Mistgabeln sind die Bauern aufeinander losgegangen.«

Ob es dabei auch Tote gegeben hat, wage ich nicht zu fragen.

Wir biegen im Dorf rechts ein. Nach etwa dreihundert Metern deutet Hein auf ein schlichtes weiß getünchtes Gebäude.

»Da wohnt Jupp.«

»Jupp?«

»Mein Freund. Mein Lebenspartner. Und wenn ich herkomme, schläft die rote Zora, sprich mein Cabrio, da drinnen. Damit es keiner sieht.« Er zeigt mir den Schuppen neben dem Haus. »Im Winter muss dann Jupps Pferd raus. Immer ein Riesenaufstand.«

»Wegen deiner Mutter?«

Er nickt mir anerkennend zu. »Sieh an, du lernst doch schnell. Was meinst du, was die für einen Aufstand machen würde, wenn die das wüsste! Wahrscheinlich würde sie mich entmündigen lassen und enterben. Und du hast geglaubt, ich würde mit meinem Cabrio so einfach über die Kehr fahren!«

Er schüttelt den Kopf und drückt auf den Klingelknopf.

Jupp ist blond, breit, sehr groß, von jenem Hauttyp, der die Sonne meiden sollte, und in meinem Alter. Er begrüßt mich mit kräftigem Händedruck, nimmt mit einem Nicken die Pralinenschachtel entgegen und lässt Hein, Linus und mich ins Haus vorangehen.

Hein wirft mir einen warnenden Blick zu, als wir ein Wohnzimmer betreten, das von Möbeln unterschiedlicher Stilrichtungen, Nippesfiguren, betroddelten Lampenschirmen und getrockneten Blumen in riesigen Vasen überquillt. Ich halte Linus an der kurzen Leine, damit er nichts umwirft.

»Ich kann Jupp nicht davon überzeugen, sich von seinen Spitzendeckchen zu trennen«, klagt Hein, als er die Tür zu einem angrenzenden Raum öffnet.

»Habe ich schließlich alle selbst geklöppelt«, brummt Jupp. Ich meide Heins Blick. »Als ich mir das Rauchen abgewöhnt habe. Irgendwo musste ich ja mit den Fingern hin.«

Er zieht eine verkrumpelte Zigarettenschachtel aus der Hosentasche und hält sie mir hin. Als ich ablehne, zündet er sich selbst eine an. »Das war, bevor es überall verboten wurde. Dann habe ich wieder angefangen.«

»Jupp lässt sich nicht gern Vorschriften machen«, erklärt Hein. »Als Nichtraucher hat er im Zug früher immer einen Raucherplatz reserviert. Nur für den unwahrscheinlichen Fall, dass ihn plötzlich die Lust überkommen sollte, sich eine Zigarette anzuzünden.« Er winkt mich zur offenen Tür des Nebenraums.

Staunend bleibe ich auf der Schwelle stehen und blicke auf die schlichte Eleganz eines perfekten Biedermeierzimmers. Mit guten Kopien bekannter Zimmerbilder von Spitzweg und Schwind an der Wand über dem Nähtischchen. Das alte Glas der restaurierten Kirschbaumvitrine gibt den Blick auf eine Sammlung von unbemalten Schulterköpfen aus Porzellan frei. Die Wand gegenüber beherrscht eine Sofabank, die wie auch die beiden Schaufelstühle mit Seidenstoff aus dem gleichen Taubenblau bezogen ist, das sich in der diskret gestreiften Tapete wiederfindet. Und in Jupps strahlenden Augen.

»Dann hol ich mal den Tee«, sagt er, deutet auf den mit weißem KPM Kurland-Geschirr gedeckten Kaffeetisch, macht auf dem Absatz eine angedeutete Pirouette und verschwindet.

Linus streckt sich auf einem Seidenteppich vor der Vitrine aus. Hein setzt sich auf das Sofa, schlägt die Beine übereinander und erklärt: »Hier bin ich wirklich zu Hause.« Ohne Übergang fügt er an: »Hast du seine Hände gesehen?«

Ich nicke. »Für solche Pranken ist Klöppeln Schwerarbeit.«

»Allerdings, aber die ist er ja gewöhnt. Früher war er Waldarbeiter, jetzt arbeitet er auf dem Bau und hilft auch noch bei uns auf dem Hof aus, wenn Not am Mann ist. Und obendrein macht er ein Fernstudium als Innenarchitekt.«

Ich breite die Arme aus und erkläre: »Prüfung bestanden!«

Es wird eine sehr gemütliche Teestunde, in der ich nicht ein einziges Mal an all die Schrecken der vergangenen Tage denke. Keiner der Todesfälle ist ein Thema, keine Anspielungen werden gemacht, und niemand äußert irgendeinen Verdacht. Ich erfahre, dass sich Hein und Jupp vor zwei Jahren auf einer Kölner Veranstaltung kennengelernt haben und seitdem ein heimliches Paar sind.

»Schon seltsam, ausgerechnet im Kölner Schwulenmilieu einen Nachbarn aus der alten Heimat zu treffen«, meint Hein. »Wenn ich hier irgendeine vernünftige Arbeit finden würde, käme ich ja glatt zurück.«

»Warum bist du denn nicht zu Hein nach Köln gezogen?«, frage ich Jupp. »Da könntet ihr euch diese Geheimnistuerei doch ersparen!«

Er wechselt einen Blick mit seinem Freund. Der nickt. »Zeig's ihr ruhig«, fordert er Jupp auf.

»Was?«, will ich wissen.

»Den Grund, weshalb Jupp von hier nicht weg kann.«

Neugierig folge ich dem großen Blonden in den Flur, steige hinter ihm eine ähnlich steile Holztreppe wie im Haus meines Bruders hinauf und ziehe den Kopf ein, als ich im Obergeschoss eine kleine Kammer betrete.

»Mutter«, sagt Jupp, »ich möchte dir meine Freundin Katja vorstellen.«

Ich muss zweimal hinsehen, ehe ich das winzige Häuflein Mensch in dem schmalen Bett überhaupt entdecke. Zitternd streckt es mir eine zerbrechliche Kinderhand entgegen.

»Katja«, wiederholt die uralte Frau mit erstaunlich kräftiger Stimme. »Ein hübscher Name. Bist du aus der Eifel?«

»Von der Anna Klein aus Halzech dat Mädchen«, antwortet Jupp.

»Die Kleins vom Laden?«

»Ja.«

»Dat ist jut. Wirst genug zum Essen haben, mein

Jung. Dat ist jut. Konserven. Ganz wichtig. Werden nicht so süß wie die Kartoffeln im Winter. Musst dann nicht im jefrorenen Boden graben. Dat ist jut. Die Kleins aus Halzech. Die von Hamburg. Jute Leute. Haben's hier nicht leicht. Vor allem der Mann nicht. Jetzt schon gar nicht. Der Adolf Mertes soll sich was schämen. Dat tut man nicht. Hoffentlich jeht dat alles jut. Damit dat Katja später noch was hat. Pass auf dat Mädchen auf, mein Jung.«

Sie hält immer noch meine Hand fest. Ich streiche der alten Frau eine weiße Haarsträhne aus der Stirn und mühe mich, meine Tränen zurückzuhalten, als ich sie frage: »Welche Konserve darf ich Ihnen denn mal mitbringen?«

Das Leuchten in ihrem Gesicht erinnert an die sonnenüberflutete Landschaft, durch die wir vorhin gegangen sind. Mit ihren Furchen, Kerben und schattigen Flecken.

»Mandarinenscheiben«, erklärt sie bestimmt. »Davon träume ich schon lange.«

»Du hättest es mir nur zu sagen brauchen, Mutter«, sagt Jupp.

Sie lässt meine Hand los und fahndet nach den Pranken ihres Sohnes.

»Du tust schon so viel für mich, mein Junge. Und arbeitest so schwer. Kauf lieber was für dich. Die Katja von den Kleins aus Halzech, die nimmt die Dose einfach aus dem Regal. Dat is jut.«

Sie schließt die Augen und schläft augenblicklich ein.

Wir schleichen aus dem Zimmer.

»Danke«, sagt Jupp. »Ich krieg nie aus ihr heraus, was sie wirklich will. Sie hat immer Angst, mir zur Last zu fallen.«

Am unteren Treppenabsatz sieht er mich betroffen an.

»Komm mal mit.«

Er führt mich in eine hochmodern eingerichtete Küche.

»Wow«, sage ich beeindruckt, fahre mit der Hand über die saubere Edelstahlanrichte und nicke zur Kochinsel hin. »Hier könnte ich leben.«

»Hein und ich kochen gern«, erwidert er, öffnet eine Schranktür und zieht eine Dose mit Mandarinen heraus.

»Ist eigentlich eine Notreserve. Und war die ganze Zeit hier.«

»Während sie davon geträumt hat.«

Wir kehren ins Wohnzimmer zurück.

»Meine Mutter ist mit Katja einverstanden«, sagt Jupp. »Wir können sofort heiraten.«

»Meinen Segen habt ihr«, erwidert Hein ungerührt, »solange ich die Herrschaft über die Küche behalte.«

»Oh nein!«, melde ich mich zu Wort, »nur über meine Leiche.«

Eine peinliche Stille entsteht.

»Darüber«, murmelt Hein, »wollten wir nun gerade nicht reden.«

Auf einmal ist alles wieder da. Die ganze Schwere der Gegenwart. Ich ziehe mein Handy hervor. Keine

Nachricht von Marcel Langer. Im Fall meines Bruders müssen die Rechtsmediziner doch inzwischen längst fündig geworden sein. *Der Adolf Mertes soll sich was schämen. Dat tut man nicht.* Was kann die alte Frau damit gemeint haben? In welcher Beziehung stand Alf Mertes zu meinen Großeltern? So schlecht kann die nicht gewesen sein, da Fine doch meine Großmutter bis zu ihrem Tod gepflegt hat. *Hoffentlich jeht dat alles jut.* Ich sollte herausfinden, in welcher Zeit Jupps Mutter lebt. Weshalb meine Großeltern so verschuldet waren, ob Alf etwas damit zu tun hatte und woran mein Großvater gestorben ist. Meine Güte, als ob es nicht genug aktuelle Leichen gäbe!

»Wann ist die Beerdigung?«, fragt Jupp.

»Sobald die Leiche meines Vaters freigegeben wird«, beantwortet Hein meine unausgesprochene Frage nach welcher Beerdigung. »Bis dahin werde ich leider bei meiner Mutter bleiben müssen, Jupp.«

Der große, breite, so unerschütterlich wirkende Mann seufzt tief und sieht unglücklich aus.

»Dabei wäre alles doch so einfach!«, rufe ich plötzlich. Die beiden Männer nicken.

»Was meinst du, Katja, wie oft wir das schon durchgekaut haben«, sagt Hein. »Keine Geheimnisse mehr. Alle zusammen in einem Haus.«

»Ja!«, versetze ich ungeduldig. »Mit Fine und Jupps Mutter! Mensch, Hein, das ist doch die perfekte Lösung! Ihr verkauft den Hof, und du ziehst mit deiner Mutter hierher!« Ich wende mich Jupp zu. »Dann würdest du doch sicher auch alle Spitzendeckchen wegräumen?«

»Alles würde ich«, sagt Jupp. »Umbauen, anbauen, klöppeln, nicht klöppeln, alles. Aber ...«

»Aber was?«, frage ich.

»Aber die Nachbarn«, antwortet Hein dumpf.

»Was ist mit denen?«

»Gar nichts. Das ist nur der Satz, den meine Mutter sagen würde, wenn ich ihr reinen Wein einschenkte. Was würden die Nachbarn sagen, wenn die dahinterkommen, was für eine Männerfreundschaft mich mit Jupp verbindet!«

»Da muss sie eben durch«, meine ich. »Es ist doch dein Leben, nicht ihres. Und wenn sie dich liebt, will sie dich doch auch glücklich sehen.«

»Sie sähe mich lieber tot als schwul«, sagt Hein leise und setzt hastig hinzu: »Sie hat sogar aufgehört, *Lindenstraße* zu gucken, weil ihr da zu viele *Perverse* auftreten.«

Zwei Stunden später

In seinem Kleinlaster fährt uns Jupp bis kurz vor das grüne Ortsschild *Kehr*. Dort trennen sich unsere Wege. Hein erklärt, durch das Waldstück am Friedhof vorbei nach Hause laufen zu wollen. Als ich mit Linus auf der belgischen Seite die Bundesstraße entlangmarschiere, lasse ich den Besuch bei Jupp noch einmal Revue passieren. Die Begegnung mit seiner alten Mutter, die von meinen Großeltern sprach, als seien sie noch am Leben und von großen Sorgen geplagt, die liebevolle Zuwendung Jupps, der sein Lebensglück von dem seiner Mutter abhängig macht und die Herzlichkeit der beiden Männer mir gegenüber.

Ich habe Freunde gefunden. In der Eifel. In meinem Leben.

Überwältigt von diesem Gedanken, bleibe ich stehen und blicke über die weite Landschaft Ostbelgiens.

Am Horizont türmen sich dicke schwarze Wolken. Wind kommt auf. Ganz klar, ein Gewitter kündigt sich an.

Ungeduldig zieht der Hund an seiner Leine. Ich verzichte auf das majestätische Ausschreiten, das zu meiner Körperfülle gehört, lasse mich mitziehen und verfalle sogar in eine Art Galopp. Diese ungewohnte Art der Fortbewegung fordert mir Konzentration ab, die alle Eindrücke dieses Tages, der mit der schrecklichen Nachricht von Alfs Ermordung begann, aus meinem Kopf verbannt.

Außer Atem komme ich auf dem Hof an. Und beginne sofort zu zittern. Nicht vor Erschöpfung, sondern vor Angst und vor Wut. Wieder hat sich jemand ungefragt Zutritt zu meinem Haus verschafft.

Aber diesmal wurde das Schloss aufgebrochen. Ich greife zu dem Seidentüchlein mit dem Elektroschocker, bin mir aber plötzlich nicht sicher, wie das Ding zu bedienen ist und ob es wirklich hilft, wenn ich es einsetze.

Ich schleiche um das Haus herum, kann aber durch

die Fenster nichts erkennen. Also ziehe ich mein Handy aus der Hosentasche.

Nein, Marcel Langer will ich diesmal nicht anrufen. Hinter meiner Haustür könnte ein Mörder lauern, und der zerzauste Polizist ist für Gewaltverbrechen und deren Aufklärung schließlich nicht zuständig. Da kann er sich noch so aufspielen; ich weiß jetzt Bescheid.

Den Hauseingang im Blick behaltend, kehre ich nah an die Straße zurück, rufe die Auskunft an und lasse mich gleich mit der Polizeizone Eifel in St. Vith verbinden.

Schwere Tropfen fallen. Und mitten ins erste Donnergrollen platzt aus meinem Handy eine sehr vertraute Stimme: »Lokale Polizei St. Vith.«

Tag 5, Dienstag, mittags

Marcel Langer hat die vergangene Nacht nicht in meinem Haus verbracht. Ich auch nicht. Zu groß war meine Angst vor einer Wiederkehr des Einbrechers und zu klein mein Vertrauen in Linus, Elektroschocker und stumpfe Messer. Und in den belgischen Polizeiinspektor, von dem ich finde, dass er sich mir gegenüber zu viel anmaßt.

»Was kann der Einbrecher denn gesucht haben?«, frage ich Gudrun beim Mittagessen. Ich hatte das Angebot angenommen, bei ihr zu nächtigen, und bedanke mich jetzt mit einer speziellen Mahlzeit für das Exil in Rheinland-Pfalz.

Unter Hackfleisch habe ich Minze und Lebkuchenteig gemischt, damit Birnen gefüllt und sie in den Ofen geschoben. Als zweiten Gang gibt es zu Pasta in Öl ausgebackene Auberginenscheiben, die ich mit einer Mandel-Rosinenmasse belegt und mit kleinen Entenbruststückchen gekrönt habe.

Auf den Kauf frischen Brotes an der Caféthéke hatte ich verzichtet, als ich durch die Glastür des *Old Smuggler* Marcel Langer vor seinem Frühstück sitzen sah.

»Keine Ahnung«, erwidert Gudrun. Sie wischt ihren

Teller mit Brot sauber und erklärt: »Unglaublich, aber wahr: Diese Ekelmischung hat super geschmeckt. Hätte ich Geld, würde ich dich glatt als Köchin einstellen.«

»Danke«, sage ich kurz, ohne jegliche Bereitschaft, mich ablenken zu lassen. Nicht einmal durch ein zweifelhaftes Kompliment über meine kulinarischen Fähigkeiten. »In meinem Haus gibt oder gab es etwas, das jemand dringend haben möchte.«

»Meinst du denn, er hat es gefunden?«, fragt Gudrun.

Ich zucke mit den Schultern. »Es muss etwas sein, das mit der Arbeit meines Bruders zusammenhängt. Warum sonst hätte der Einbrecher nur das Arbeitszimmer verwüstet?«

Weder ich noch die belgische Polizei haben in den anderen Zimmern eine Spur des Einbrechers gefunden. Er hat sogar meine Handtasche auf der Flurkommode unberührt gelassen, dafür aber im fensterlosen Arbeitszimmer ein heilloses Durcheinander angerichtet, sämtliche Schubladen herausgerissen, alle Bücher aus den Regalen gefegt und zwei der schrägen Holzgerüste sogar umgeworfen.

»Ich dachte, die Polizei hat nach dem Mord an Gerd alles Wichtige aus dem Arbeitszimmer mitgenommen?«, fragt Gudrun zurück.

»Vielleicht erschien dieser Gegenstand den Ermittlern ganz nebensächlich«, mutmaße ich. »Wie der angebliche Kälbchenzettel, den Alf in meinem Haus gesucht hat – und Fine offensichtlich auch. Deshalb hat sie ja die Hosen mitgenommen. Obwohl ich bis jetzt nicht verstehe, weshalb sie mich da angelogen hat.«

»Was für ein Kälbchenzettel?«

Ich berichte ihr von meiner letzten Begegnung mit Alf in meinem Haus. Gudrun schüttelt den Kopf.

»Das ist doch völliger Quatsch!«, ruft sie.

»Man muss die Geburt von Kälbchen nicht melden?«, frage ich verunsichert.

»Doch, wenn man sie verkaufen will, muss man das bis sieben Tage nach der Geburt beim HIT angeben, dem Herkunftssicherungs- und Informationssystem für Tiere. Sonst setzt es tatsächlich Strafen. Aber weil das übers Internet läuft, hatte der Alf damit gar nichts zu schaffen. Der hatte doch nicht mal einen Computer! Das war meine Aufgabe, und außerdem ist letzte Woche überhaupt kein Kälbchen geboren worden.«

»Eine Ausrede, also«, stelle ich nickend fest, »war mir eigentlich auch schon klar. Und jetzt ist Alf tot. Sieht doch ganz so aus, als ob das was mit einem verkrumpelten Zettel zu tun hat! Zwei Menschen, die im Besitz dieses Papiers waren, sind auf die gleiche Weise erschlagen worden. Zufall ist das bestimmt nicht.«

»Und mein Vater?«, fragt Gudrun. »Die Polizei geht bei ihm jetzt auch von einem Mord aus. Vor dem Sturz ins Wasser muss jemand auf ihn eingeschlagen haben. Aber mein Vater hat nie von einem Zettel gesprochen, und soweit ich weiß, ist bei ihm auch keiner gefunden worden.«

Das ist die Krux mit allen meinen Mordtheorien: Jedesmal, wenn ich eine klare Verbindungslinie zwischen zwei Fällen finde, will sich der dritte nicht hineinfügen.

»Bei Alf war der Zettel offensichtlich auch nicht«, sage ich. »Sonst hätte die Mordkommission doch etwas unternommen, uns befragt oder so. Wir müssen unbedingt mit Fine reden.«

»Jetzt?«, fragt Gudrun zweifelnd. »In ihrem Zustand? Sie ist immer noch so was von hysterisch. Was ist mit dem Marcel? Hast du ihm von dem Zettel erzählt?«

»Das hielt ich damals nicht für wichtig«, erwidere ich ausweichend. »Außerdem ist er nicht für die Aufklärung von Gewaltverbrechen zuständig.«

»Aber natürlich ist er das!«, versetzt Gudrun. »Er ist doch in die deutsch-belgische SOKO berufen worden, die heute gebildet wird. Weil er die Gegend und uns alle am besten kennt. Das hat er mir vorhin erzählt.«

Ich schrecke zusammen. »Er war hier?«

»Nein, er hat angerufen, als ich aus dem Stall kam. Aber du hast noch geschlafen, und da wollte ich dich nicht wecken.«

»Er erzählt viel, wenn der Tag lang ist«, bemerke ich verärgert. »Was ist mit der Obduktion meines Bruders? Hat er sich dazu geäußert?«

»Nein«, antwortet Gudrun, »aber du kannst ihn ja heute Abend fragen. Er will nach der Arbeit hier vorbeischauen. Habt ihr euch gestritten, oder weshalb bist du so sauer auf ihn?«

»Bin ich gar nicht!«, gebe ich vielleicht ein wenig zu heftig zurück. »Er nervt nur, das ist alles.« Und weil ich keine Lust habe, mit ihr über den Zausel von Polizisten zu reden, befrage ich Gudrun nach allem, was ich schon lange von ihr wissen will.

Während wir die Küche aufräumen, spricht sie zum ersten Mal über meinen Bruder Gerd. Ich horche auf, als sie erzählt, wie er sich als Kind zum Außenseiter gemacht hat, aber die Vorstellung, in meinem Bruder eine tatsächlich verwandte, wenn auch jetzt in anderen Gefilden weilende Seele gefunden zu haben, schwindet bei Gudruns nächsten Worten: »Er hat sich immer in den Mittelpunkt gestellt und wurde zu keinem Kindergeburtstag mehr eingeladen, weil er immer gewinnen wollte und richtig Terror machte, wenn ein anderer besser war.« Anfangs habe man dem armen mutterlosen Kind wohl zu viel nachgesehen, und das habe es schamlos ausgenutzt. Damals habe sie ihn nicht ausstehen können, auch wie alle anderen gedacht, er halte sich für etwas Besseres, und nicht mit ihm spielen wollen. Nach dem Abitur sei er weggegangen, habe in Brüssel, Köln und Trier diverse Studiengänge angefangen, aber alle abgebrochen. Ohne Abschluss sei er vor einigen Jahren mit zweihundert Bücherkisten plötzlich wieder auf der Kehr aufgetaucht und bei seinem Vater eingezogen. Er schaffte es, den alten Mann zu überreden, die Landwirtschaft aufzugeben und die Rinder an Gudruns Vater zu verkaufen.

»Aber du hast doch gar kein eigenes Vieh mehr?«, werfe ich verwundert ein.

»Nein, gar nichts habe ich, nicht einmal Haus oder Grund. Alles hier gehört der Bank. Das ganze Elend hat mit dem Ankauf von Gerds Kühen seinen Anfang genommen. Als ob ein Fluch auf der Transaktion lag.«

Ihr Vater, einst der reichste Grundbesitzer auf der

Kehr, teilte ihr kurz nach dem Rinderkauf eines Abends ganz nebenbei mit, dass sie sich einzuschränken und gefälligst Geld zu verdienen habe, weil sein Vermögen futsch sei. Als Begründung gab er nur an, sich verspekuliert zu haben, aber wie, wo oder warum habe sie nie aus ihm herauspressen können.

»Ich habe alle seine Sachen durchwühlt«, gesteht sie, »aber nichts gefunden, keinen einzigen Hinweis auf Börsengeschäfte zum Beispiel. Ich wusste nur, dass er die Rinder gleich an Alf Mertes weiterverkauft hat.«

Daraufhin war sie um Rat zu Gerd gegangen. Der war ja in der Welt herumgekommen, hatte studiert, war belesen und wusste wirklich viel.

»Tja«, sagt sie, »und da habe ich gemerkt, dass hinter dem Angeber von früher ein durchaus liebenswerter Kerl steckte. Und einer, der sehr viel von den Menschen und der Welt verstand. Obwohl er nie wirklich weit gereist war. Er konnte mir zwar auch nicht helfen, aber von da an haben wir uns gut verstanden.«

Zwei einsame Geschöpfe, die sich aneinander gewärmt hatten, übersetze ich ihren letzten Satz für mich.

»Zu der Zeit fing ich bei dem Alf mit dem Melken an. Der Alf konnte den Gerd nicht leiden, ärgerte sich immer darüber, dass dem seine Weide verkümmerte. Es wäre für den Alf viel näher und praktischer gewesen, die Kühe im Sommer auf der anderen Straßenseite grasen zu lassen, als sie den weiten Weg zu uns hinter das Haus zu treiben. Er hat dem Gerd sogar angeboten, seinen alten Stall wieder herzurichten und das Land zu pachten, aber der Gerd hat das immer abgelehnt.«

»Warum?«, frage ich. »Er konnte das Geld doch sicher gebrauchen!«

»Klar, aber zum Alf sagte er immer, er sei froh, die Kühe los zu sein, denn mit ihnen kämen die Fliegen, und die sollten nicht auf seine kostbaren Bücher scheißen.«

»Wo er doch ganz offensichtlich auf Hygiene keinen großen Wert gelegt und nie gelüftet hat«, versetze ich.

»Für den Gerd war das irgendwie ein Spiel. Zu mir sagte er, wenn er den Alf lange genug zappeln lässt, würde der ihm noch ein ganz anderes Angebot machen, keine Ahnung, was er damit meinte.«

»Vielleicht wollte er ihm das ganze Haus und Grundstück verkaufen?«, überlege ich.

»Das habe ich ihn auch gefragt, aber da hat er nur gelacht und gesagt, das komme schon gar nicht infrage. Weiter nachgebohrt habe ich nicht. Der Gerd hatte viele Geheimnisse und sprach mit mir nie über seine Pläne. Oder über seine Arbeit, die war für ihn ganz wichtig, da durfte ich nie stören oder was fragen. Er sagte, er sei Privatgelehrter, was immer das ist. Er hat mich da nicht drin haben wollen, und wurde böse, wenn ich sagte, ich will mich auch weiterentwickeln. Da hat er gelacht und gesagt, wie er darunter leidet, niemanden hier zu haben, mit dem er auf Augenhöhe reden kann. Das war nicht schön, weil ich mir dann immer so dumm vorkam. Manchmal haben wir dann gestritten.«

Ihre Augen wirken schon wieder verschleiert. Ganz klar, der arrogante Schnösel Gerd ist der schwache Punkt dieser ansonsten so starken Frau.

»Obwohl ihr euch so gut verstanden habt?«, setze ich mit leiser Ironie nach.

»Ja«, sagt sie, »das haben wir. Bis mein Vater dem ein Ende bereitete.«

»Und das habt ihr euch gefallen lassen?«, frage ich fassungslos.

Gudrun zuckt mit den Schultern. »Er sagte, wir seien zu nah verwandt.«

»Und wenn schon!«, fahre ich auf. »Cousin und Cousine. Ihr wart doch nicht mehr in dem Alter, wo man Kinder kriegt!«

»Das wäre schon noch möglich gewesen«, flüstert Gudrun mit Tränen in den Augen. Ich starre sie erschrocken an. Oje, da habe ich mich aber in einem Fettnäpfchen versenkt. War sie schwanger und gezwungen, das Kind abtreiben zu lassen? Will ich gar nicht so genau wissen. Ich bin in meinem Berufsleben zu vielen Frauen begegnet, die nie ein Kind wollten, aber mit Mitte vierzig tränenreich in fremde Kinderwagen schauen.

Beherzt fahre ich fort: »Nach allem, was du mir von Gerd erzählt hast, waren ihm Konventionen doch piepegal. Er machte, was ihm passte!«

»Dachte ich auch«, versetzt Gudrun. Nach ihrer Offenbarung hat sie sich seltsam schnell wieder gefangen. »Aber nach einem Gespräch mit meinem Vater hat er sich voll von mir zurückgezogen. Ohne Begründung.

Im letzten Jahr haben wir kaum ein Wort miteinander gewechselt.« Sie hebt die Arme und schreit in die Küche hinein: »Und jetzt kann ich keinen mehr fragen, weshalb.«

Ihre verzweifelte Ohnmacht angesichts der unerledigten Vergangenheit gleicht meiner. Damit fühle ich mich Gudrun sehr verbunden, denn meine Frageliste an die vielen Toten wird auch immer länger. Ständig wächst der Groll auf diejenigen, die uns so ratlos zurückgelassen haben. Die Toten, so heißt es, existieren in Herzen und Gedanken der Lebenden weiter, aber Gudruns und meine Toten werden dort erst dann in Frieden ruhen können, wenn uns die noch Lebenden endlich schlüssige Antworten liefern. Das Schweigen meiner Mutter lastet schwer auf mir. Das Schweigen meines Bruders hat Gudrun sichtlich fast zerrissen.

Eine Bemerkung Fines kommt mir in den Sinn. Ich frage: »Hatte dein Vater vielleicht Angst, dass du mit Gerd zusammenziehst und ihn in einem Altersheim entsorgst?«

»Hätte ich doch nie getan!«, fährt Gudrun auf. »Ihn abschieben, meine ich. Das mit dem Zusammenziehen hatten wir letztes Jahr geplant, aber natürlich mit meinem Vater. Weil wir hier ja sowieso bald raus müssen. Wegen der Zwangsversteigerung. Keine Ahnung, wo ich jetzt unterkommen werde.«

Den letzten Satz hat sie nur gemurmelt.

Es ist der falsche Moment, darüber zu spekulieren, wo denn das ganze Geld geblieben ist, das ihren Vater Werner Arndt einst zum Großgrundbesitzer der Kehr gemacht hat. Es ist auch der falsche Moment, ihr damit Mut zuzusprechen, dass ich mich noch vor knapp einer Woche in einer sehr ähnlichen Lage befunden habe. Schließlich hat sich diese trotz oder wegen meiner seltsamen Erbschaften nicht wirklich verbessert. Wie Gudrun stehe auch ich vor den Trümmern einer Vergangenheit, aus der nichts in die Zukunft hinüberzuretten ist. Wir werden beide ganz von vorn anfangen müssen. Und das in einem Alter, in dem sich andere schon voller Behagen auf den Ruhestand vorbereiten.

»Wir sollten nach der trächtigen Kuh sehen, bevor es wieder regnet«, wechselt Gudrun das Thema und ruft mir damit die gestrige Weltuntergangsstimmung in Erinnerung.

Was gestern geschah

»Setzen Sie sich in Ihr Auto und drücken Sie die Knöpfe runter«, empfahl mir Marcel Langer, nachdem ich ihm am Handy die Nachricht vom aufgebrochenen Türschloss entgegengeschleudert hatte. So, als wäre es seine Schuld. »Wir kommen sofort.«

Mit einem kläglich jaulenden Linus schaffte ich es gerade in meine Karre, als der Sturm losbrach. Windböen zerrten an meinem Wagen, als wollten sie ihn davontragen. Ein kaputter weißer Plastiktisch löste sich aus dem Sperrmüllgerümpel an der Hauswand, prallte erst gegen meine Windschutzscheibe und flog dann auf die Bundesstraße. Ich sprang aus dem Wagen und jagte dem Tisch hinterher. Doch der Ausreißer schlitterte erheblich schneller Richtung Losheim, als ich sprinten konnte. Erfolglos und völlig durchnässt, kehrte ich zum Wagen und dem inzwischen laut bellenden Linus zurück.

Ich blickte zu dem kleinen Kirchlein auf der Kehr hinüber und fragte mich, ob ich es als bekennende Atheistin wagen durfte, zu beten. Oder ob das kontraproduktiv wäre und Gott zur Strafe für meinen Unglauben Marcel Langers Streifenwagen mit einem weißen Plastiktisch vom rechten Weg abbringen und in den Straßengraben schicken würde. Ich begann zu verhandeln.

»Es ist nicht seine Schuld, Gott«, sagte ich, mir das *Lieber Gott* verkneifend, weil das zu einschleimerisch klang. »Und wenn er das überlebt, werde ich ehrlich zu ihm sein und ihm alles sagen.«

Zwanzig Minuten vergingen. Keine Spur eines Polizeiautos. Oder eines anderen Wagens. Das Gewitter tobte unmittelbar über uns. Der hell krachende Donner hätte den Lärm eines abstürzenden Flugzeugs übertönt, ganz zu schweigen vom Knall Blech gegen Baum.

Ich wurde immer verzweifelter, dachte überhaupt nicht mehr an den Einbrecher, der bei diesem Orkan mein schützendes Haus kaum verlassen würde, wenn er sich denn noch darin befand. Ich stellte die Scheibenwischer an und sofort wieder aus. Diesem Regen waren sie nicht gewachsen. Ich hätte nichts gesehen, wenn ich Langer in meinem Wagen entgegengekrochen wäre.

Vielleicht war er ja an den Straßenrand gefahren, um das Ende dieses Höllensturms abzuwarten. Nach einer weiteren Viertelstunde erwog ich, meine Verhandlung mit Gott wieder aufzunehmen und meinen letzten Trumpf auszuspielen.

Das erübrigte sich zum Glück, weil in diesem Augenblick der weiß-blaue Streifenwagen mit Blaulicht in den Hof einbog.

Alle Anspannung fiel von mir ab. Ohne mich um den Regen zu kümmern, sprang ich aus dem Wagen und Marcel Langer hinterher. Der war mit seinem Kollegen und gezückter Waffe bereits ins Haus gestürmt.

»Draußen bleiben!«, herrschte er mich an. Das brachte mich wieder zur Besinnung. Dieser Polizist konnte ja nicht ahnen, dass er dank meiner Fürsprache dem sicheren Tod von der Schippe gesprungen war. Er würde eine Umarmung völlig falsch deuten.

Als er mir wenig später die Genehmigung zum Betreten meines Hauses erteilte, hatte ich mich wieder so weit gefasst, dass ich ihn auch anschnauzen konnte: »Warum hat das so lange gedauert!«

»Lange?« Er starrte mich wütend an. »Wir sind hier nicht in Berlin, liebe Frau Klein! St. Vith liegt nicht um die Ecke und die Kehr nicht an der Autobahn. Und jetzt lassen Sie uns bitte unsere Arbeit erledigen.«

Mit einem Kopfschütteln verschwand er in Gerds verwüstetem Arbeitszimmer.

Flüchtig dachte ich an das Versprechen, das ich einem Gott, an den ich nicht glaubte, gegeben hatte. Meine Ängste erschienen mir mit einem Mal total übertrieben und sehr unrealistisch. Hätte der wacklige Tisch dem Streifenwagen aufgelauert, wäre das stabile Auto doch einfach darüber hinweggebrettert! Zeus und Thor schickten Blitze, keine Plastiktische.

Ich zog mich ins Schlafzimmer zurück, um das Naturschauspiel weiter zu beobachten. Dieses Unwetter schien allem Hohn zu sprechen, was ich bislang über Gewitter wusste. Wenn in Berlin so etwas losbrach, kam der Donner preußisch ordentlich nach dem Blitz. Anfangs verringerte sich der Abstand zwischen beiden, danach vergrößerte er sich wieder, und man konnte sich ausrechnen, wann der Spuk vorbei war. Der sowieso kaum je länger als eine Viertelstunde dauerte.

Das war in diesen Breiten ganz anders. Blitze zuckten gleichzeitig in alle Richtungen über den Himmel. Sogar völlig waagerechte Lichtflitze erhellten die Wolken. Der Donner war keinem der Zackengebilde zuzuordnen, da er Schlag auf Schlag erfolgte. Unter diesem Dröhnen wackelte das ganze Haus. Lautstark peitschte der Regen auf das Dach und gegen die Mauern. Entsetzt sah ich am Horizont eine breite Feuersäule niedergehen. Ich bekam es mit der Angst zu tun, rannte ins Arbeitszimmer und fragte Marcel Langer, ob der Blitzableiter diesem Gewitter überhaupt gewachsen sei.

»Welcher Blitzableiter?«, fragte er verständnislos und setzte eine Bemerkung hinzu, die meinem derzeit sehr gesteigerten Sicherheitsbedürfnis nicht entgegen-kam: »An so etwas glauben wir hier nicht.«

Er ließ mich einfach stehen. Während ich überlegte, wieder im faradayschen Käfig meines Autos Zuflucht zu suchen, rannten plötzlich Gudrun und Hein völlig durchnässt durch die Tür.

Wie ich später erfuhr, hatten sie gemeinsam ver-sucht, die trockenen Kühe – also diejenigen, die träch-tig oder zu alt waren und nicht wie die anderen zum Melken hineingetrieben werden mussten – noch vor dem Gewitter in den Stall zu jagen.

Aber ein Tier hatte sich am Fuß eines Windrades niedergelegt und war zum Aufstehen nicht zu bewegen gewesen. Verwundert hatte ich nachgefragt, wie hoch denn der Metallanteil der Kuh sei. Ich verstünde die Angst nicht, dass der Blitz ausgerechnet jetzt in diese Kuh einschlagen sollte, da sie quasi neben einem riesi-gen Blitzableiter ruhe.

»Eben!«, wurde mir entgegengerufen. Der Blitz werde durch das Windrad in den Boden geleitet, und dieser Erdstrom könne das Rindvieh tödlich treffen. Solch ein indirekter Blitzschlag dringe durch die Vorderbeine, durchfließe das gesamte Tier, trete durch die Hinter-beine wieder aus und hinterlasse schließlich eine tote Kuh.

Hein regte sich in meinem Haus immer noch da-rüber auf, dass Gudrun darauf bestanden hatte, die Kuh zu retten.

»Wir hätten beide draufgehen können!«, schimpfte er, während er sich mit meinem Küchenhandtuch die

Haare abtrocknete. »Wo schon klar war, dass wir das Viech nicht wegkriegen! Dann stirbt es eben!«

Genau das hatte er ihr auf der Wiese auch gesagt. Gudrun hatte geheult, dass sie noch einen Tod nicht verkraften könne. Und dass kein vernünftiger Bauer eine gebärende Kuh auf der Wiese liegen lasse.

»Aber erstens bin ich kein vernünftiger Bauer, und zweitens hat mich zum Glück meine Mutter dann angerufen und ganz aufgeregt berichtet, bei der Katja müsse auch wieder etwas Schlimmes geschehen sein, denn die Polizei sei trotz des Sturms mit Blaulicht herbeigeeilt. Da haben wir die Kuh liegen lassen.«

»Zum Glück«, wiederholte ich trocken.

»Aber es war wohl Gott sei Dank doch nur ein Einbruch«, stellte Hein fest. »Wir waren ganz geschockt, dachten, jetzt hat es dich auch noch erwischt!«

Vielleicht hätte ich dankbarer sein sollen, dass sich diese beiden Menschen, die ich gerade erst kennengelernt hatte, mehr um mein Wohlergehen sorgten als um das einer Kuh mit einem nennenswerten Preis, aber das konnte ich zu diesem Zeitpunkt nicht recht würdigen. Zumal Marcel Langer hinzugesetzt hatte, auf der Kehr habe es noch nie einen Einbruch gegeben, weshalb man diesen unbedingt in Verbindung zu den Mordfällen bringen müsse.

Viel mehr hatte er gestern Nachmittag nicht von sich gegeben und mir auch keinen individuellen Personenschutz für die Nacht angeboten. Nicht einmal, als der Strom plötzlich ausfiel und sich niemand erinnern konnte, in meinem Haus Kerzen gesehen zu haben. Obwohl sich das Gewitter inzwischen verzogen hatte und es noch hell war, erfuhr ich, dass es durchaus mehrere Stunden dauern könne, ehe der Strom zurückkehrte.

»Drüben in NRW brennt Licht«, brummte Langer und wies vor der Haustür auf das von Innen erleuchtete weiße Kirchlein. »Vielleicht besser, Sie schlafen heute bei Gudrun, Frau Klein. Aber warten Sie noch auf den Schlosser aus Büllingen, für ihr Schloss zu reparieren. Er müsste gleich kommen.«

Und dann stieg er ohne ein weiteres Wort zu seinem Kollegen in den Jeep und fuhr davon. Ich sandte einen stummen Fluch hinter: Möge dich ein weißer Plastiktisch treffen!

Seine Wortkargheit hatte mich weitaus weniger beunruhigt als die Blicke, die er mir zugeworfen hatte. Als sei er der Mann, der zu viel wusste. Das Zuvielwissen war dem Herrn in dem gleichnamigen Hitchcock mit Doris Day gar nicht gut bekommen. Aber was wusste Langer wirklich? Meine Hoffnung, von ihm Einzelheiten über die Obduktion meines Bruders zu erfahren, hatte sich jedenfalls zerschlagen.

Ich kam mir verloren vor, regelrecht verraten, zumal er meine zuvor zwar nur gemurmelte, aber dennoch für ihn deutlich vernehmbare Einladung »Habe frischen Single Islay Malt« völlig ignoriert hatte. Gudruns freudige Reaktion ersparte mir jeglichen Kommentar.

»Ja bitte, Katja, bleib heute Nacht bei mir!«

Nachdem der angekündigte Schlosser eingetroffen war und sein Werk verrichtet hatte, blickte ich zum Kirchlein hinüber, in dem immer noch Licht brannte.

»Wird da eine Messe abgehalten?«, fragte ich Gudrun.

»Wo denkst du hin!«, erwiderte sie. »Da kommt nur einmal im Monat ein Pfarrer, und der war letzte Woche da. Aber vielleicht betet dort grad jemand für den Gerd, meinen Vater oder den Alf den Rosenkranz. Oder jemand hat danach wieder das Licht angelassen. Komm, Katja, wir fahren rüber und schauen nach.«

»Fahren?«, fragte ich ungläubig.

»Sonst müssten wir doch nur wieder zum Auto herlaufen«, erwiderte sie.

Um auf den winzigen Parkplatz der Kirche schräg gegenüber meinem Haus zu gelangen, galt es, den gesamten Merteshof zu umrunden, eine weitere Kurve zu nehmen und eine schmale Gasse einzuschlagen. In dieser Zeit hätten wir gemütlich zur Kapelle schlendern, das Licht ausknipsen und wieder zurückkehren können.

Wann hatte ich zum letzten Mal eine Kirche betreten? Vor etwa vier Jahren, fiel mir ein. Ein säkularisiertes Gebäude aus dem hohen Mittelalter, das für eine Gothic-Modenschau hergerichtet worden war und äußerst stimmige Bilder mit sehr mageren und extrem bleichen Models geliefert hatte, denen kleine Rasierklingen und riesige Kreuze vom Halse baumelten.

Ein Beleuchter hatte aus religiösen Gründen seine Teilnahme an dieser Show abgesagt. Ich kannte solche Skrupel nicht. Meine Mutter hatte mir ihren Gott nie vorgestellt, sondern ihn mitsamt ihrer Vergangenheit in der Eifel zurückgelassen. Ich war nicht einmal getauft worden. Es hatte mich nie gestört, keiner Religionsgemeinschaft anzugehören oder an Weihnachten nicht in die Kirche zu gehen. Mein metaphysisches Bedürfnis hielt sich in Grenzen. Wenn sich meine Schulkameraden während des Religionsunterrichts über die Bibel beugten, hatte ich eine Freistunde. In der ich meistens meiner Mutter den Feudel ausdrückte. Irgendwann hatte sie auf eine meiner Fragen geantwortet, dass *sie* zwar streng katholisch erzogen worden war, *mir* aber das damit untrennbar verbundene konstant schlechte Gewissen ersparen wollte.

»Aber in der Not hilft der Liebe Gott einem doch!«, hatte das neunjährige Mädchen sein Wissen aus einem Buch abgerufen, das ihm der Deutschlehrer geschenkt hatte. Der übrigens auch protestantischen Religionsunterricht erteilt und die kleine dicke Katja immer todtraurig angesehen hatte.

»Es heißt doch: *Hilf dir selbst, dann hilft dir Gott*«, hatte meine Mutter geantwortet und hinzugesetzt: »Wozu brauchst du einen Gott, wenn du dir doch selbst helfen musst? Du bist keinem Schicksal ausgeliefert, Katja, sondern der Schmied deines eigenen. Kein Gott kann dir wichtige Entscheidungen abnehmen, und kein Pfarrer kann dich mit irgendwelchen Ave-Marias von schwerer Sünde befreien.«

Wir betraten die Kapelle durch ein dunkelgrünes Portal in dem gänzlich mit Schiefer bedeckten Kirchturm.

»Hier ist es«, wies mich Gudrun an. Sie griff mit den Fingern in eines der Weihwasserbecken neben dem

Eingang, bekreuzigte sich, öffnete eine Holztür und machte zum Altar hin einen Knicks.

Mir gefiel die Kirche auf Anhieb. Sie war stilvoll und schlicht, mit überraschend hübschen bunten Fenstern, Holzschnitten an der weiß getünchten Wand und einfachem Gestühl. Kathedralen besichtige ich nur ungern, da ich mich von riesigen Kreuzen mit überlebensgroßen blutbefleckten Körpern inmitten von allerlei Gold, Geschnörkel und Geschmeide unbehaglich berührt fühle. So etwas gab es hier nicht. Worte wie Demut, Wehmut, Würde, Gnade gingen mir durch den Kopf, als ich mich dem zierlichen Kruzifix näherte, das eine einfache Messingkiste auf dem Altar krönte. Vor die kleine Heiligenfigur, die mit Zirkel und Dreieck in der Hand rechts vom Altar stand, hatte jemand einen Strauß frischer roter Rosen in eine Vase zwischen zwei dicken weißen Kerzen gestellt. Liebevoll, dachte ich, hier atmet alles Innigkeit. Dass Gläubige in einer solchen Umgebung Frieden fanden, konnte ich völlig neidlos anerkennen.

Gudrun sah mich erwartungsvoll an, aber ich ignorierte ihre stumme Aufforderung zu einem Ritual, das mir gänzlich fremd war. Einer Erklärung wurde ich enthoben, da wir plötzlich entdeckten, dass wir nicht allein waren.

Ein kleines Mädchen mit langen braunen Haaren kniete links vor dem Altar. Gudrun huschte auf das Kind zu.

»Nicole«, flüsterte sie mit der Betonung auf der ersten Silbe, »Was machst du denn hier?«

Das vielleicht achtjährige Kind wandte sich mit tränenüberströmtem Gesicht zu uns um.

»Ich bete«, sagte es laut. »Ich bete für mein Volk.«

Gerührt, dass dieses Mädchen einer offensichtlichen Märchenwelt so viel Wirklichkeit abringen konnte, ging ich neben dem zierlichen Geschöpf in die Hocke und fragte: »Du bist also eine Prinzessin? Von welchem Land denn? Und hast du auch einen Prinzen?«

Das Mädchen sah mich voller Mitleid an und antwortete dann empört: »Ich bin doch keine Prinzessin. Ich bin die Nicole.«

»Für welches Volk betest du dann?«, hakte ich ratlos nach.

»Für mein Ameisenvolk«, gab das Kind zurück. »Ich habe so eine Angst, dass es bei diesem Regen ertrinkt. Glaubst du ...«, sie ergriff Gudrun bei der Hand, »dass Gott mich erhört? Auch wenn ich kein Geld für eine Kerze habe?« Sie nickte zu dem Metalltisch vor sich hin, wo eine Opferkerze flackerte.

»Daran soll es nicht scheitern«, erwiderte ich beschämt, zog ein Eurostück aus meiner Hosentasche und gab es ihr.

»Das ist für vier Kerzen«, sagte das Mädchen.

»Nur zu«, erwiderte ich.

Das Kind warf die Münze in den Schlitz eines Metallbehälters unter dem Tisch und entzündete am Docht der brennenden Kerze nacheinander die anderen. Eine für das Ameisenvolk, dachte ich und je eine für die drei Toten der letzten Tage.

Zum ersten Mal seit Wochen umfing mich so etwas

wie Frieden. Ich begann zu ahnen, welchen Trost der Glaube schenken konnte.

Gudrun unterbrach unser andächtiges Schweigen: »Weiß deine Mutter, dass du hier bist, Nicole?«

Die schüttelte den Kopf. »Die ist bei Meyers zum Karten. Länderspiel.«

»Länderspiel?«, fragte ich Gudrun.

»Die Frauen auf der Kehr treffen sich einmal wöchentlich zum Karten«, erklärte Gudrun. »Belgien gegen Rheinland-Pfalz und NRW. Aber darüber sollten wir hier nicht reden.«

Richtig, ein Teufelsspiel, dachte ich amüsiert, eine Versuchung, die im Hause des Herrn nichts zu suchen hat.

Als wir dem Ausgang zustrebten, warf ich einen Blick auf den Beichtstuhl rechts von der Tür. Wie oft meine Mutter hier wohl ihre Sünden aufgezählt hatte? Dass sie die Schule geschwänzt, unreine Gedanken gehabt oder ihren Lehrern Widerworte gegeben hatte? Dass sie ihre Eltern im Stich gelassen hatte? Dass sie sich einem verheirateten Mann hingegeben hatte? Dass sie dessen Frau in ein Betonloch gestoßen hatte ... Hatte sie das? Und hätte sie es gebeichtet? *Kein Pfarrer kann dich mit irgendwelchen Ave-Marias von schwerer Sünde befreien.* Der Anblick des geschlossenen violetten Samtvorhangs jagte mir einen Schauer über den Rücken und ließ meinen Atem stocken. Ich war froh, als wir wieder ins Freie traten, und sog die sauber gewaschene Luft tief in meine Lungen ein.

»Es regnet nicht mehr!«, rief Nicole aufgeregt, zerrte

an unseren Händen und flehte uns an: »Bitte, kommt mit zu meinem Volk! Für zu sehen, ob es noch lebt!«

»Wo wohnt es denn?«, fragte ich.

Nicole deutete in Richtung des Geländes, durch das ich zwei Tage zuvor mit Linus gestrichen war. Wo ich den toten Werner Arndt im Wolfgangsee gefunden hatte.

»Wo genau?«, fragte Gudrun. Nicole sagte es ihr, als wir ins Auto stiegen.

»Da ist ja Linus!«, rief sie begeistert, sprang zu dem Hund auf den Rücksitz, umarmte ihn und ließ sich von ihm das Gesicht abschlecken. »Der arme Linus! Wer sorgt jetzt für ihn? Wo der Gerd doch tot ist.«

»Ich«, erwiderte ich trocken.

»Nicole, das ist die Katja, die Schwester von dem Gerd«, stellte mich Gudrun vor, als ich den Wagen startete.

»Aber du bist nicht von hier. Wie kannst du da die Schwester von dem Gerd sein?«, fragte das Kind überrascht.

»Genau das würde ich auch gern wissen«, murmelte ich und sagte laut: »Ich wohne mit Linus jetzt in seinem Haus.«

»Nach rechts«, wies mir Gudrun vor dem Zollhaus den Weg.

»Aber er kennt dich doch gar nicht«, sagte das Kind vorwurfsvoll. »Ich hab ihn ganz doll lieb. Schenkst du ihn mir?«

»Nicole!«, schimpfte Gudrun. »Benimm dich! Da unten nach links, Katja.«

Bei einer kleinen Häuseransammlung bog ich einen

Schotterweg ein, den rechts ein Wald aus Weihnachts-
bäumen säumte.

Ich fuhr durch ein Schlagloch, knallte mit dem Kopf
gegen das Autodach und hörte, wie der Auspuff auf-
schlug. Hier hätte der Geländewagen meines einstigen
Berliner Liebhabers eine sinnvollere Aufgabe gehabt
als auf den Ampel-Kreuzungen der Großstadt. Es ging
leicht bergauf. Sturzbäche, die Schotterstücke, kleine
Äste und Sand mit sich führten, flossen uns entgegen.

»Der Berg ist weg!«, jammerte Nicole.

Ich hielt den Wagen neben einem hübschen winzigen Holzhäuschen an. Nicole stürzte aus dem Auto
und hockte sich am Wegesrand hin.

»Alles weg! Mein Volk ist tot!«

Gudrun erkundigte sich nach dem genauen Stand-
ort des Ameisenhaufens. Nicole deutete auf eine Mulde
voller Matsch.

»Der Hügel war schon ganz hoch«, schluchzte sie,
»die haben den ganzen Sommer daran gearbeitet. Ich
auch, ich habe ihnen Tannennadeln, Haare und kleine
Zweige gebracht. Alles umsonst. Alle tot.«

»Das muss ein sehr junges und unerfahrenes Volk
gewesen sein«, sagte Gudrun sanft, »wenn es sich an
dieser Stelle niedergelassen hat. Aber es sind ganz bestimmt nicht alle ertrunken.« Sie blickte sich um und
wies auf eine schmale schwarze Ameisenstraße, die
nach Norden ins Gelände führte.

»Schau her, Nicole, die da drüben haben sich retten
können. Jetzt sind sie aus Erfahrung klug geworden
und werden sich entweder einem älteren, mit ihnen

verwandten Volk anschließen oder eine geschütztere Stelle für den Neuanfang suchen.«

Entweder oder, dachte ich, vor genau dieser Wahl stand ich jetzt auch. Und allen Fliegerbomben zum Trotz erschien mir die Großstadt eine geschütztere Stelle zu sein als die mörderische Kehr meiner erfahrenen Verwandten.

»So viele Tote«, murmelte ich, nachdem wir das Mädchen an ihrem Elternhaus abgesetzt hatten. »Wo beerdigen wir die unseren?«

Gudrun blickte mich überrascht an. »Auf der Kehr natürlich«, erwiderte sie. »Es sei denn, du willst den Gerd lieber in Belgien bestatten lassen. Da ist es viel billiger.«

Normalerweise aber würden die Bewohner der Kehr auf dem kleinen Friedhof schräg gegenüber dem Mertes-Anwesen beigesetzt. Dort lägen Belgier, Nordrhein-Westfalen und Rheinland-Pfälzer aller Konfessionen in Eintracht beieinander. Die Trauergottesdienste würden hingegen im jeweiligen Heimatland abgehalten, für die NRWler in der St.-Michaels-Kirche in Losheim, für die Rheinland-Pfälzer in der Hallschlager St.-Nikolaus-Kirche und für die Ostbelgier in der St.-Eligius-Kirche in Krewinkel.

»Nicht in unserer Kapelle auf der Kehr?«, fragte ich voller Bedauern.

Gudrun zuckte mit den Schultern. »Wenn du das willst, kannst du ja den Pfarrer anrufen.« Sie stieß einen Seufzer aus. »Weder der Gerd noch mein Vater hatten hier viele Freunde. Sogar die könnten sich schon in der Kapelle verlaufen. Du hast recht. Die Trauergottesdienste für die beiden sollten auf der Kehr stattfinden. Zu der von dem Alf kommen ganz viele Leute, da wird die Fine unbedingt Losheim haben wollen.«

Um ihre neue Freiheit zu feiern, dachte ich, als ich den Wagen vor Gudruns Haus abstellte. Laut sagte ich: »Aber erst müssen sie allesamt von der Rechtsmedizin freigegeben werden.« Warum dauert das nur so lange? In Krimis erfuhr man das Ergebnis schon immer kurz nach der Tat.

Gudrun ging mir nicht ins Haus voran, sondern ließ nur Linus hinein und bat mich, sie zu der selbstmörderischen Kuh auf der Weide zu begleiten. Auch wenn es nur ein Tier war, dessen bessere Teile ich ohne jegliches schlechte Gewissen durch die Pfanne zog, musste ich mich zu diesem Gang ganz schön überwinden. Ich hatte Angst, nach dem Anblick einer vom Blitz zerbrutzelten Kuh unweigerlich zur Vegetarierin mutieren zu müssen. Beim Weg über die Wiese bereitete ich mich im Geiste darauf vor, ersann lauter leckere Gerichte ohne Fleisch, musste aber betroffen feststellen, dass sich ganz ohne tierische Fette der rechte Appetit nicht einstellen wollte.

Die Kuh lag immer noch da, wo Gudrun und Hein sie verlassen hatten. Gudrun rannte auf das Tier zu. Ich stiefelte sehr langsam hinterher.

»Alles in Ordnung!«, kam der erlösende Ruf. »Wir können sie ruhig hierlassen. Es ist noch nicht so weit.«

»Was geschieht jetzt mit ihr?«, fragte ich, vorsichtig näher tretend. Ich wusste nicht, ob ich mich mehr vor der schwangeren Kuh oder der gebieterischen Gudrun fürchtete. Jedenfalls hatte ich vollstes Verständnis für Heins gestrige Ablehnung. Irgendetwas gegen den Willen dieses Riesentieres zu tun grenzte meiner Ansicht nach an Größenwahn.

Nun, Gudrun hatte sich als vernünftig erwiesen und die Kuh über Nacht beim Windrad liegen gelassen, das wie durch ein Wunder den wilden Eifeler Blitzen getrotzt hatte.

Und jetzt, da ein neuer Tag angebrochen ist, soll ich schon wieder mit ihr über die nasse Wiese zu dem schwangeren Rindvieh stapfen?

»Ich weiß nicht so recht«, sage ich zögernd und hänge das nasse Küchentuch an einen Haken.

»Warst du denn schon mal bei einer Geburt dabei?«, fragt sie, ohne eine Antwort zu erwarten. Sie fordert mich mit einer Kopfbewegung auf, ihr zu folgen. Mir bleibt nichts anderes übrig.

»Ich?«, gebe ich entsetzt zurück und erblicke vor meinem geistigen Auge ein von Schleim und Blut überzogenes zuckendes Stück Fleisch, das ich bestimmt nicht säubern und ofenfertig ruhigstellen will.

»Schon gut, Katja. Ich dachte nur, dass es dir nach all den Todesfällen der letzten Tage vielleicht guttun würde, neues Leben zu begrüßen.«

Das ich nach dem Auftritt des Metzgers wunderbar zu meinem speziellen Filetto tonnato verarbeiten könnte, überlege ich, als wir dem Rindvieh mit dem dicken Bauch gegenüberstehen. Kalbszunge habe ich auch schon lange nicht mehr gemacht – mit Pinienkernen, Sultaninen und Preiselbeeren. Kalbsleber – köstlich. Die würde ich nur ganz schwach würzen und anbraten, mit Birnenstückchen servieren und vor allem vor Linus verstecken. Aus Kalbshack lassen sich die besten Königsberger Klopse herstellen, natürlich mit Kapern und Sardellenpaste.

Die Kuh hebt ihr Haupt, stößt etwas aus, das wie ein Klagelaut klingt, und mustert mich dann vorwurfsvoll aus braunen Augen. Das Tier ahnt wohl, was in mir vorgeht. Muttertiere sollen ja spezielle Instinkte haben und zu allem fähig sein, wenn ihre Brut bedroht wird. Wie war das noch mal mit der zierlichen Frau, die einen Lastwagen anheben konnte, weil ihr Nachkömmling darunter lag?

Ich trete einen Schritt zurück. In dieser Kuh lauern auch ohne kommendes Kalb schon fürchterliche Kräfte.

Ich bewundere Gudrun, die sich über die liegende Kuh beugt und mit den Händen irgendwo in dem massigen Leib zugange ist.

»Katja!«, ruft sie aufgeregt. »Es ist so weit. Komm, hilf mir!«

Ich trete noch ein paar Schritte zurück und hebe abwehrend die Hände.

»Ich verstehe nichts davon. Ich mache bestimmt alles falsch.«

»Komm sofort her!«

Als hätte sie mich gezwungen, gehorche ich ihr.

Diese Frau soll von ihrem alten Vater tyrannisiert worden sein? Zugelassen haben, dass er ihr Lebensglück zerstörte? Möglicherweise genötigt worden sein, ein Kind abzutreiben? Diese Frau weiß nicht, wo sie demnächst unterkommen soll? Unvorstellbar. Diese Frau weiß ganz genau, was sie tut, unterlässt oder befiehlt. Sie verfügt über eine natürliche Autorität und duldet keinen Widerspruch.

Aus funkelnden Augen blickt sie mich an, das Gesicht von blonden Haarsträhnen umrahmt, die sich aus dem nachlässig zusammengebundenen Dutt gelöst haben. Sie sieht schön und wild aus, wie sie da in ihrer Jeans und dem übergroßen Herrenhemd – von Gerd? – auf dem Gras neben dem mächtigen Tier kniet. Wäre es ein Stier, wäre sie Europa. Die sich mühelos auf den Rücken des verwandelten Göttervaters schwingen und mit ihm zu neuen Gestaden aufbrechen würde.

Aber die Kuh bleibt Kuh und Gudrun die hagere Frau, die sich ein Leben jenseits der Kehr überhaupt nicht vorstellen kann. Die darunter gelitten hat, dass sie Gerd nicht auf Augenhöhe ansprechen konnte. Etwas Hoheitsvolles ist um sie, etwas Göttinnenhaftes.

»Näher! Mach schon!«

Eine Rachegöttin, geht mir plötzlich durch den Sinn, die wahre Herrin der Kehr, die über die drei Höfe herrscht, die ich kenne, und über Leben und Tod entscheidet.

Meine Angst vor dem riesigen schwarz-weißen Geschöpf weicht der Angst vor Gudruns Zorn und Verachtung. Ich rücke noch näher heran. Die Kuh liegt auf der Seite, hat den Kopf weit nach hinten gelegt und die Gliedmaßen ausgestreckt.

Zwischen den Hinterbeinen klafft ein riesiges Loch, aus dem sich eine bräunlichgelbe Blase hervorschiebt. Ich halte die Luft an, fürchte Gudruns Auftrag, diesen Ballon zu zerstechen oder das kalbende Tier irgendwo zu berühren. Plötzlich platzt die Blase. Ich schreie entgeistert auf.

»Nur die Wasserblase«, sagt Gudrun gelassen, »das Entscheidende kommt gleich. Und dann werden wir sehen, ob wir mit Händen und Armen rein müssen.«

Gleich dauert ganz schön lange. In dieser Zeit überlege ich, in wie viele tote Fisch- und Geflügelkörper ich meine Hand ohne jegliche Bedenken gesteckt habe. Aber das, was ich dann herausnahm oder hineintat, befand sich jenseits allen Schmerzes und bewegte sich normalerweise nicht.

»Wenn das Kalb falsch liegt«, sagt Gudrun, »dann müssen wir es herausziehen. Ah, sieh doch, da kommt es ja schon.« Wider Willen fasziniert, schaue ich auf zwei kleine schwarze Beine, die plötzlich wie in Plastikfolie eingeschweißt aus der Kuh heraustaken.

Gudrun stößt einen erleichterten Seufzer aus und erhebt sich.

»Alles in Ordnung. Den Rest schafft sie allein. Geh zum Haus, Katja, und hol die Schubkarre neben dem Kellereingang.«

Ich rühre mich nicht.

»Schau, Gudrun, das Köpfchen!«, jubele ich begeistert. Ich sehe überhaupt kein Blut, nur diese seltsame

Folie, in die auch der auf den Beinen ruhende Kalbskopf eingewickelt ist. Kalbskopf... Nein, ganz ehrlich,
beim Anblick dieses herzigen Gesichtchens kann nicht
einmal ich an Sülze oder Kochtopf denken.

»Ist das süß!«

»Katja!«

»Warte, warte«, sage ich atemlos und beuge mich
ganz nah heran. Platsch. Ich springe zur Seite. Das
ganze Kalb ist mit einem Mal herausgerutscht und
plumpst auf das Gras. Aus dem Körper der Kuh dringt
vibrierendes Brummen. Der Schwanz schlägt mir ins
Gesicht.

»Die Schubkarre!«

Die Kuh erhebt sich schwerfällig.

»Ojottojottojott«, schreie ich, »pass bloß auf, dass
sie das Kleine nicht zertritt!«

»Katja!«

»Ich geh ja schon!«

Ich renne über die Weide zum Haus, um die Schubkarre zu holen, und eile, sie ungeschickt über den
holprigen Grasboden hinter mir herziehend, zurück.
Die Kuh leckt gerade die Folie von ihrem Nachwuchs,
der nicht mal eine Viertelstunde nach der Geburt bereits versucht, auf eigenen Beinen zu stehen.

»Das Lecken regt die Atmung an«, erklärt Gudrun.
»Und jetzt teilen wir uns die Arbeit.«

Ich sehe sie fragend an.

»Du kannst das Kälbchen schon mal in die Schubkarre heben.«

Das täte ich liebend gern, wenn neben ihm nicht

ein so gewichtiges Argument stehen würde. Ich wage es kaum, das Neugeborene anzusehen. Aus Angst, die Kuh könne fälschlicherweise das Wort Kalbsschnitzel in meinem Blick lesen und Hackfleisch aus mir machen.

Ich teile Gudrun beschämt meine Bedenken mit.

»Dann warte eben, bis der Hein kommt. Der wird mir helfen, die Mutter in den Stall zu treiben. Das ist Schwerarbeit.«

»Was, und das Kleine soll hierbleiben?«

»Das kommt in eine Box.«

Ungläubig starre ich sie an. »Du willst Mutter und Kind voneinander trennen?«

»Je eher desto besser«, erwidert sie gleichmütig. »Bevor sie sich aneinander gewöhnt haben.«

»Und das Kleine in eine Box stecken?!«

»Das ist ein ganz gemütliches Ställchen.«

»Schau, es steht schon fast!« Entzückt beobachte ich die Versuche des staksigen Geschöpfs, sich auf allen Vieren zu halten, während die Kuh es weiter ableckt und leicht anstupst.

»Ein prächtiger, gesunder kleiner Stier«, sagt Gudrun nickend. »Für den kriegen wir gutes Geld. Und was für ein schönes Fell! Das werde ich auf jeden Fall behalten.«

Sie liest den Abscheu in meinen Augen.

»Ah, ich versteh«, sagt sie lachend. »Bei der Katja kommt jetzt kein zartes Kalbsfleisch mehr auf den Teller.«

Nun, es gibt ja noch andere Tiere, die man lecker zubereiten kann. Tiere, die in handliche Stücke verpackt aus dem Laden kommen.

Aber Gudrun betrachte ich ab jetzt mit ganz anderen Augen.

Vor allem, als ich später das klagende Geschrei der Kuh höre, die dieses herzlose Landvolk von der Seite ihres Säuglings gerissen hat. Und der soll jetzt die erste Nacht seines Lebens ganz allein in einer Art Schachtel verbringen! Zu Gudruns Erleichterung hat Hein seinen Freund auf die Weide geschickt.

»Der kann wenigstens anpacken«, sagt sie befriedigt, als sie Jupp herannahen sieht. Und Hein kann delegieren, denke ich, mir redlich Mühe gebend, Jupp freundlich zu begrüßen. Er führt ja – wie offensichtlich wir alle – nur Gudruns Anordnung aus.

Mit dieser Frau will ich keine einzige Nacht mehr unter einem Dach verbringen. Sie ist eine Rachegöttin, die Nemesis der Kehr. Jetzt traue ich ihr alles zu. Das Weichei Gerd zu erschlagen, weil der nach einem Wort ihres Vaters den Schwanz eingezogen hat, den lästigen alten Vater mit einem tödlichen Schlag im Wolfgangsee zu versenken und den einbeinigen Alf nach einem Streit über Kälberaufzucht ins Jenseits zu schicken.

Mörderin, denke ich, als sie das Kälbchen in den Schubkarren hebt und dann mit Jupp die widerstrebende Mutter vor sich hertreibt.

Mir obliegt die Aufgabe, das Kälbchen im Karren zu ziehen. Nur ganz flüchtig geht mir der Gedanke durch den Kopf, das Kleine meinen Nachbarn abzukaufen und selbst aufzuziehen. Aber es würde ja nicht so niedlich bleiben, sondern irgendwann zu einem mächtigen Stier heranreifen, dem ich mich in keinem roten Kleid würde nähern können. Ich würde den Zaun hinter dem Haus reparieren lassen müssen, damit er nicht ausbrach und ein niedliches kleines Mädchen wie Nicole so auf die Hörner nahm, wie es die Stiere von Pamplona mit den dämlichen Touristen tun. Stiere sind noch gefährlicher als Kühe oder halbe Staffordshire-Terrier.

Die Box erweist sich als ein winziger Käfig vor dem Stall, den eine Art Hundehütte fast gänzlich ausfüllt. Darin kann sich das Kälbchen bei Regen und Kälte zurückziehen. Ungefähr zehn solcher Gefängnisse sind seitlich des Stalls aufgereiht, und die Hälfte von ihnen mit süßen kleinen Kälbchen unterschiedlichster Zeichnung belegt.

»Lass es an deinem Finger saugen«, fordert mich Gudrun auf, als sie das Kälbchen vor einer leeren Box absetzt, »damit es nachher gleich die Milch aufnehmen kann.«

»Wenigstens das ist gut«, sage ich, während ich dem Kalb sofort einen Finger ins Maul stecke, »dass die arme Mutter zumindest zum Stillen ihr Kind wieder bei sich hat.«

Gudrun antwortet nicht. Sie verschwindet im Stall und erscheint wenig später mit einem Blecheimer, den sie vor die Box stellt.

»Saugt er schon?«, fragt sie.

»Wie ein Weltmeister«, antworte ich.

»Dann kann er jetzt saufen«, sagt sie, schiebt das Kalb in die Box, macht sie zu, hängt den Eimer in einen außen am Käfig befestigten Metallring und drückt das

Köpfchen des Neugeborenen rücksichtslos durch die an dieser Stelle etwas auseinandergebogenen Gitterstäbe.

»Hat Alf das auch immer so gemacht?«, frage ich misstrauisch.

»Ja, natürlich. Nur hat der auch noch jedes neue Kalb fotografiert. Das war sein Hobby. Wir können uns das ersparen.«

»Ja, ein Foto!«, rufe ich begeistert. »Bitte lass uns eins machen!«

Sie seufzt.

»Na gut. Die Kälbchen-Kamera steht auf der Kommode im Flur. Dann hol sie eben.«

Trotz des Einbruchs in der Nachbarschaft sieht man bei Mertes offensichtlich keinen Grund, die Haustür zu verschließen. Als auf mein Klopfen niemand öffnet, trete ich einfach ein.

Die antiquarische Agfa Clack mit dem altmodischen Blitzaufsatz ist mir schon bei meinem ersten Besuch aufgefallen. Mit genau so einem Apparat habe ich während meiner Volontärszeit die Bilder für meine Reportagen geschossen – bis mir die Bildredaktion feierlich eine gelbe Armbinde mit drei schwarzen Punkten überreichte. Meinem Argument, die Bewegungsunschärfe beim Berliner Funkturm sei auf die natürliche Schwankung des Bauwerks zurückzuführen, konnte der Ressortleiter nicht folgen. Er erteilte mir Fotoverbot und stellte mir bei künftigen Reportagen einen Fachmann zur Seite.

Aber von meinem Kälbchen kann ich so viele Aufnahmen machen, wie ich will. Sie sollen ja nicht ver-öffentlicht werden, sondern mich nur an die erste Geburt erinnern, die ich erlebt habe. Ein Foto würde schon etwas werden. Ich hebe die Kamera hoch.

Und lasse sie gleich wieder sinken.

»Kein Film drin«, sage ich enttäuscht, nach einem Blick auf das kleine transparente Fenster. Ich öffne die Klappe.

»Muss sein«, widerspricht Gudrun. »Der Alf hat vor etwa zwei Wochen erst einen neuen eingelegt. In der Zeit sind höchstens vier Kälbchen geboren worden.«

Ich halte ihr das leere Gehäuse als Beweis hin.

»Vielleicht hat er damit Familienfotos oder so etwas gemacht«, schlage ich vor.

Sie schüttelt den Kopf.

»Dafür hat er einen modernen Apparat. Das alte Ding war eine reine Kälbchenkamera. Da hat er Wert drauf gelegt. War sein Hobby. Seltsam ist das, ganz selt-sam.«

Als ich später vor meinem Haus in meiner Hand-tasche nach dem neuen Schlüssel suche, stoße ich auf die Filmrolle meines Bruders, die er an einem so un-gewöhnlichen Ort wie dem Butterfach aufbewahrt hat.

Ein altmodischer Rollfilm, der vorzüglich in eine altmodische Agfa Clack passt. Nach allem, was ich über meinen Bruder erfahren habe, scheint mir aus-geschlossen, dass er aus lauter Liebe zu einem neu-geborenen Kälbchen den Film stibitzt hat. Da muss etwas anderes drauf sein.

Das Herz klopft mir bis zum Hals. Könnte dieses belichtete Material tatsächlich Erleuchtung bringen? Mir Antwort auf eine oder alle der drängenden Fragen geben?

Der Film muss sofort entwickelt werden!

Der nächstgrößere Ort heißt Prüm, so viel habe ich inzwischen gelernt. Auf dem Straßenschild direkt vor meinem Grundstück kann ich die Entfernung ablesen: 18 Kilometer.

Ich blicke auf die Uhr. Sollten in dem Kaff die Geschäfte um 18 Uhr schließen, könnte ich es gerade noch schaffen, den Film im Express-Verfahren entwickeln zu lassen, falls man in dieser Gegend das Wort überhaupt kennt.

»Los, Alter, wir fahren noch ein Stück«, sage ich zu Linus und will ihn in den Wagen scheuchen. Das schwarze Ungeheuer rührt sich nicht, legt nur den Kopf auf die Seite, hebt eine schlaffe Pfote und winselt zum Steinerweichen.

»Bettler!«, schimpfe ich, schließe die Haustür auf und renne in die Küche. Die Dose Hundefutter kann ich auch später öffnen; jetzt braucht das Tier nur etwas gegen den größten Hunger. Ich ziehe ein Päckchen aus dem Kühlschrank. Kalbsleberwurst. Ich zögere nur kurz. Mir fällt wieder ein, dass in einem derart bezeichneten Produkt alles Mögliche steckt, nur eben so gut wie keine Kalbsleber. Bellend springt der Hund hinter mir her, als ich, die Verpackung mit den Zähnen aufreißend, wieder zur Tür sprinte. Wenn der Film heute noch entwickelt werden soll, darf ich keine Zeit mehr verlieren.

Zu spät.

Mit quietschenden Reifen biegt ein weißer Jeep mit blauen Streifen auf meinem Hof ein. Marcel Langer springt heraus. Sofort stellen sich mir alle Härchen auf. Die Leberwurst fällt mir aus der Hand.

»Sie wollen sich doch nicht etwa vom Acker machen!«, begrüßt mich der Polizist. Fast hätte er mich an den Handgelenken gepackt. Ich weiche zurück.

»Warum sollte ich?«

»Das wissen Sie selbst am besten«, gibt er unfreundlich zurück. »Ich habe mit Ihnen zu reden, Frau Klein, und wenn Sie hören, was ich Ihnen zu sagen habe, werden Sie endlich mit der Wahrheit herausrücken! Von Ihnen lasse ich mich nicht länger für dumm verkaufen!«

So böse und unversöhnlich habe ich ihn noch nie erlebt.

Mir werden die Knie weich. Ich vergesse den Film und lasse einen schnaufenden Marcel Langer ins Haus vorangehen.

Wie ernst die Lage für mich ist, wird deutlich, als der koffeinsüchtige Polizist den angebotenen Kaffee schroff ablehnt.

»Wir kommen am besten gleich zur Sache«, beginnt er, nachdem er sich auf dem Sofa niedergelassen hat. Er wartet. Ich sage nichts. In der Stille vermeine ich, mein Herz klopfen zu hören.

Linus springt zu Langer aufs Sofa, legt ihm den Kopf in den Schoß und lässt sich zwischen den Ohren kraulen. Verräter.

»Gut«, sagt Langer schließlich. Er wischt sich ein zerzaustes Haarbüschel aus der schweißnassen Stirn und zieht sich die dunkelblaue Uniformjacke aus. Darunter kommt ein hellblaues Hemd zum Vorschein, gebügelt, wenn auch nicht da, wo es der Hersteller vorgesehen hat. Sieht ganz nach der Heimarbeit eines einsamen Polizisten aus.

»Dann fange *ich* eben an.«

Er beobachtet mich genau. »Erstens: Ihr Bruder ist nicht von dem großen Bergkristall in der Krippe erschlagen worden.«

Ich mühe mich, alle Gesichtsmuskeln unter Kontrolle zu halten.

»Nicht? Aber sein Blut war doch daran.«

»Ist hinterher so präpariert worden. Aber da sage ich Ihnen bestimmt nichts Neues.«

Wieder schweigt er. Die Stille dauert eine ganze Weile. Ich halte dem Blick aus diesen braunen Augen stand, Augen, die so wunderbar verträumt aussehen können und jetzt nur noch Trauer tragen. Das ist nicht auszuhalten.

Gleichzeitig öffnen wir den Mund. Ich schließe meinen wieder schnell. Bloß nicht voreilig werden.

»Bitte, liebe Katja«, sagt er leise, mich zum ersten Mal beim Vornamen nennend. »Sagen Sie endlich, was bei der Begegnung mit Ihrem Bruder in der Krippana vorgefallen ist!«

Ich presse die Lippen aufeinander. Der Wandel vom bösen zum guten Cop macht mir das Schweigen nicht leichter.

»Dann verrate ich Ihnen jetzt etwas, was Sie schon lange wissen wollen: Gerd Christensen war gar nicht Ihr Bruder.«

Ich springe auf. »Was!«

Er nickt. »Bei Ihnen weist das Chromosom drei die Zahlen dreißig und vierzig auf, bei Ihrem Bruder stehen an der gleichen Stelle zehn und zwanzig. Auch wenn man bei Halbgeschwistern nicht von der fünfundzwanzigprozentigen genetischen Übereinstimmung wie bei Vollgeschwistern ausgehen kann, ist völlig klar, dass Gerd ganz andere Eltern hatte.«

Langsam lasse ich mich wieder auf meinen Sessel sinken und nicke enttäuscht. »Also war Werner Arndt doch mein Vater!«

Langer schüttelt den Kopf. »Nein, den können Sie auch ausschließen. Inzwischen liegen uns nämlich die Ergebnisse der rheinland-pfälzischen Obduktion samt Genanalyse vor.«

»Wer war es denn dann!«, rufe ich ungeduldig. »Doch nicht etwa Alf Mertes? Wäre der nicht zu jung gewesen?«

»Ach, altersmäßig wäre das schon gegangen«, meint Langer. Der Trauerflor in seinen Augen ist verschwunden. Jetzt scheint er die Lage plötzlich zu genießen. Aus diesem Mann ist einfach nicht schlau zu werden. »Aber der war es auch nicht.«

»Wissen Sie denn, wer mein Vater war?«, frage ich ungläubig.

Er nickt. »Hundertprozentig.«

»So einen DNA-Test gibt es gar nicht«, fahre ich ihn an. »Da heißt es immer 99,99 oder so was prozentig!«

»Sie sollten nicht so viele Trash-Shows im Fernsehen sehen«, sagt er. »Punkt ist, dass ich den Namen Ihres biologischen Vaters kenne und ihn nur dann verraten werde, wenn Sie mir endlich erzählen, was sich in der Nacht zum Freitag in der Krippana abgespielt hat.«

Pech gehabt, Herr Polizeiinspektor Langer, denke ich. Was nutzt mir diese Information, wenn sie nur zum Preis meiner Freiheit zu haben ist? Solange ich schweige, kann mir nichts passieren.

Ohne das Wissen um die Identität meines Erzeugers habe ich bis vor Kurzem ein durchaus komfortableres Leben geführt. Erst die Suche nach ihm hat mich in diese Katastrophe auf der Kehr hineinkatapultiert.

Curiosity killed the cat – Neugier tötete die Katze –, sagen die Engländer. Die Katze, wohlgemerkt, nicht die Katja. Wenn die aus dieser Sache heil herauskommt, würde sie nach Berlin zurückkehren und sich hüten, jemals wieder nach ihrem Erzeuger zu fahnden.

»Ihre DNA, die Sie mir freundlicherweise zur Verfügung gestellt haben – übrigens brauche ich immer noch Ihr schriftliches Einverständnis dazu –, ist an Gerd Christensen gefunden worden«, bricht der Polizeiinspektor in meine Gedanken ein.

»Klar«, erwidere ich ungerührt, »ich habe mich über ihn gebeugt und nachgesehen, ob er tot war. Es ist Sommer, und ich war leicht bekleidet. Der Mensch verliert pro Sekunde zig Tausende von Hautzellen. Und bei meinem Umfang dürften es ein paar mehr sein. Logisch, dass dabei einige auf ihn draufgefallen sind.«

»Und die sind dann von ganz allein tief unter seine Fingernägel gekrochen«, sagt Langer leise.

Ich erschrecke.

»Das kann nicht sein!«

Er legt den Kopf zur Seite und hebt gleichzeitig Schultern und Augenbrauen.

»Es war genau, wie ich es Ihnen schon am Freitag gesagt habe. Der dumme alte Trick. Sie sind an den Tatort zurückgekehrt, um Spuren Ihrerseits erklären zu können. Jetzt erklären Sie mir doch bitte mal, wie es sich angefühlt hat, als sich der Tote an Ihnen festgekrallt hat!«

Verärgert hebe ich meine bloßen Unterarme.

»Sehen Sie, Herr Langer, überhaupt keine Kratzspuren. Soll ich mich vielleicht ganz ausziehen, damit Sie den Rest meines Körpers absuchen können?«

Er wird tatsächlich rot.

»Nicht nötig«, erwidert er. »Es muss gar nicht zu einem Kratzer oder einer Schramme gekommen sein.«

Schnell greift er über den Couchtisch und kratzt mit seinen Fingernägeln kurz über meinen Oberarm.

»Sehen Sie, Frau Klein, das könnte schon genügen. Jetzt habe ich Ihre DNA auch unter meinen Fingernägeln.«

Ich spüre noch den Druck seiner Finger, aber die durch seine Nägel verursachte schwache Rötung verblasst sehr schnell und hinterlässt keinerlei Spuren.

»Und, was haben Sie jetzt davon?«, gebe ich böse zurück und setze schnell eine Frage hinterher: »Womit ist Gerd denn erschlagen worden, wenn nicht von dem Bergkristall?«

Langer holt tief Luft.

»Endlich, Katja. Auf diese Frage habe ich gewartet. Den Gegenstand kennen wir nicht. Aber in allen drei Fällen gehen die Pathologen von einem spitz zulaufenden sehr harten Material aus, von einem anderen Gegenstand, der in etwa wie ein Faustkeil geformt war.«

»Spitz zulaufend ... Faustkeil?«, wiederhole ich flüsternd.

Er nickt.

»Es gibt allerdings einen Unterschied zwischen Gerds Fall und den beiden anderen. Ihr Bruder, na ja, Ihr früherer Bruder, der Gerd eben, dem ist der Schlag im Liegen versetzt worden. Die anderen beiden Männer haben aufrecht gestanden, als der Täter zuschlug. Aber es ist eindeutig dieselbe Tatwaffe.«

»Im Liegen«, wiederhole ich stumpf. »Dann war es wirklich meine Schuld.«

Mir fällt mein Gelübde im Gewitter ein. Jetzt ist wohl die Zeit gekommen, es einzuhalten. Vielleicht wird Gott es mir lohnen. Sonst muss ich mir eben selbst helfen, wie sonst auch. Ich erhebe mich.

»Erst mache ich uns einen Kaffee«, sage ich. »Und dann, Herr Langer, erzähle ich Ihnen alles. Alles.«

Tag 6, Mittwoch, vor Sonnenaufgang

Ich bin todmüde. Da sieht sogar das schmale ge-
mauerte Bett in der winzigen Zelle der Polizeizone
Eifel in St. Vith einladend aus. Auf diesen zwei Quadrat-
metern hinter der verriegelten Tür aus Holzbrettern
bin ich vor Einbrechern und Mördern sicher. Vor Stol-
perfallen auch, obwohl ich keine Möglichkeit habe,
Licht zu machen. Denn in diesem Raum befindet sich
kein einziger Gegenstand, nicht einmal ein Klo. Ein
Knopf an der Wand verbindet mich mit der Außenwelt,
nämlich dem wachhabenden Polizisten am Empfang.
Das scheint in dieser Nacht offenbar Marcel Langer zu
sein, denn als ich mittels Knopfdruck und Lautsprecher
mein Bedürfnis äußere, schließt er mir die Zelle auf
und führt mich zur nebenan gelegenen Toilette.

»Wie spült man denn hier?«, rufe ich verärgert
durch die angelehnte Tür.

»Gar nicht«, antwortet er, »das übernehme ich.«

»Wie peinlich!«

»Tut mir leid, aber manchmal müssen wir eben
nachsehen, was aus Drogendealern rauskommt.«

»Toller Job. Und bei mir schauen Sie nach, ob ich
einen Faustkeil verschluckt habe?«

»Ich sagte doch schon, dass es mir leidtut. Und ich verspreche, ich schaue nicht hin.«

Sehr tröstlich. Und höchst erniedrigend. Vielleicht ein Vorgeschmack auf das, was mich noch erwartet. Nachher in Eupen, wenn ich dem Staatsanwalt vorgeführt werde. *Wenn.* Das werde erst in der Früh entschieden, hat Marcel Langer gemurmelt, nachdem er noch in der Nacht meine Aussage in der freundlich eingerichteten Polizeistube offiziell zu Protokoll genommen hat. Wo es zwar fünf Schreibtische, aber nur einen Computer gibt.

»Wieso wenn?«, fragte ich, als er mich durch den Gang zu meiner Zelle führte. »Wenn in Deutschland jemand festgenommen wird, muss er nach einer bestimmten Zeit dem Staatsanwalt vorgeführt werden. Ist das in Belgien etwa anders?«

»Darüber sprechen wir morgen«, erwiderte er ausweichend. Bevor er mich in den dunklen Raum eintreten ließ, reichte er mir eine Tüte belgischer Pralinen. Dann wünschte er mir eine *gute Restnacht* und schob von außen geräuschvoll den Riegel vor.

Nachts in der Zelle

Die erste mit Trüffelsahne gefüllte Praline schmilzt im Mund. Wenigstens werde ich eine Nacht ohne quietschende Bettfedern verbringen. Ein Steinbett kann nicht ächzend bedauern, schon wieder einer Verbrecherin als Lagerstatt dienen zu müssen. Aber bin ich das wirklich? Ich zermartere mir das Hirn, ob ich alles erzählt habe, was ich gewusst, getan und mir aus den vielen losen Bruchstücken von Vergangenheit und Gegenwart zusammengesetzt habe. Das ungute Gefühl, etwas Entscheidendes übersehen oder ausgelassen zu haben, will nicht von mir weichen und stiehlt mir den so dringend benötigten Schlaf.

Ein reines Gewissen ist nicht das beste Ruhekissen, wenn man sich selbst einer möglichen Unterlassungssünde zeiht. Und es will mir einfach nicht aus dem Kopf, dass ich der Lösung dieses mörderischen Rätsels schon ganz nahe gewesen sein muss.

Vielleicht sogar schon am Anfang, als mir der Mann, den ich für meinen Bruder hielt, am Donnerstag die Tür geöffnet hat. Bevor es zu all diesen Katastrophen gekommen ist. Hätte ich sie verhindern können? Habe ich sie möglicherweise gar ausgelöst? Wie recht doch die Einheimischen kleiner Orte haben, Fremde, die sich ihnen aufdrängen, argwöhnisch zu beäugen!

Ich habe mich Gerd Christensen aufgedrängt. Da gibt es gar nichts zu beschönigen. Aber hätte er sich mir gegenüber nicht so flegelhaft verhalten, wäre er vielleicht noch am Leben. Und die anderen beiden Männer auch. Dieser Gedanke treibt mich um.

Etwas Licht fällt durch die sechs Glasbausteine, die nahe der Zellendecke in die Mauer eingelassen sind. Blauen Himmel kann ich nicht erkennen, erahne also einen trüben Tag, der das Herannahen des Herbstes

kundtut. Ich starre auf die vier übrig gebliebenen Pralinen in der Tüte auf dem Fußboden und beschließe, sie
meinem armen Zellennachfolger zu hinterlassen.

Was vor einer Woche wirklich geschah

Etwas mulmig war mir schon zumute, als ich im strahlenden Sonnenschein des Spätnachmittags auf der
Kehr eintraf. Ich erinnere mich genau daran, meinen
Wagen direkt am Haus von Gerd Christensen abgestellt,
laut an die Tür geklopft und höllisches Hundegebell
vernommen zu haben.

So weit stimmt die Geschichte, die ich Marcel Langer bei unserer ersten Begegnung erzählte. Ehe ich im
Laufe meiner Befragung wieder mit der Wahrheit fort-
fuhr, ließ ich etwas aus. *Sie müssen nichts sagen, was Sie
selbst belastet*, wird jedem Zeugen vor Gericht mitgeteilt.
Nur lügen dürfen Sie nicht. Nun, um mich nicht selbst zu
belasten, ist mir angesichts Langers hartnäckiger Fra-
gerei nur die Lüge übrig geblieben.

Die er mir nicht abgenommen hat. Schon gar nicht,
als er sah, wie Linus auf mich und das Kalbsleberbrötchen in meinem Wagen reagierte.

Der Hund kennt Sie!

Klar kannte mich der Hund. Mein Bruder hielt ihn am
Halsband, als er die Tür öffnete. Ohne sich überhaupt

anzuhören, wer ich war, drohte er mir an, das Vieh auf mich zu hetzen, wenn ich nicht augenblicklich auf Nimmerwiedersehen verschwand.

»Warum so feindselig?«, fragte ich Gerd Christensen und trat angesichts eines grimmig dreinblickenden kohlschwarzen Höllenhunds ein paar Schritte zurück. »Sie kennen mich doch gar nicht!«

»Ich weiß genau, wer Sie sind und was Sie wollen«, fuhr er fort. »Fahren Sie zurück nach Berlin! Lassen Sie mich in Ruhe und sich hier nie wieder blicken.«

Damit knallte er mir die Tür vor der Nase zu.

Nun, ich war nicht die weite Strecke gefahren, um mich derart abfertigen zu lassen.

»Dann sehen wir uns eben vor Gericht wieder!«, schrie ich durch die geschlossene Tür. Das war der reine Bluff. Aber mich wurmte seine Behauptung, alles über mich und mein Anliegen wissen zu wollen. Ich war die Journalistin und sollte alles über andere wissen. Nicht umgekehrt.

Also wollte ich ihn ärgern und beunruhigen oder zumindest neugierig machen. Der magere Mann mit den langen speckigen Haaren, der ungesunden Gesichtshaut und dem Zerberus an seiner Seite wirkte wie jemand, der mit staatlichen Autoritäten nicht unbedingt etwas zu tun haben wollte.

Er reagierte nicht.

»Ich weiß auch alles über Sie!«, fuhr ich meine Retourkutsche gegen die geschlossene Tür. »Ich habe Unterlagen mit sehr unerquicklichen Informationen bei mir.«

Letzteres war nicht einmal gelogen. In den Briefen hatte sich sein Vater oft über ihn beschwert. Faul sei er gewesen, verantwortungslos, ein Sitzenbleiber und ein schlechter Verlierer bei Kinderspielen. Der Klage über Gerds ungehobeltes Auftreten und sein nachlässiges Äußeres konnte ich mich anschließen, auch wenn nichts davon justiziabel war. Wenn ich ihm aber einen Brief mit der Handschrift seines Vaters unter die Nase hielt, würde er zumindest neugierig werden und mit mir reden. Ich vertraute darauf, dass wir dann vielleicht von vorn anfangen und zivilisiert miteinander umgehen könnten.

Tatsächlich ging die Tür wieder auf.

»Was für Unterlagen?«

»Augenblick«, erwiderte ich, öffnete die Fahrertür meines Wagens und griff nach der Jutetasche, die neben der angebissenen Brühwurst auf dem Beifahrersitz lag. Der Stofftasche war die Nachbarschaft zu dem Überbleibsel aus der Autobahnraststätte nicht gut bekommen. Also warf ich sie auf den fettfreien Rücksitz, nachdem ich ihr einen Brief entnommen hatte.

Gerd Christensen hielt mir die ausgestreckte Hand hin.

»Nicht so schnell«, sagte ich, winkte mit dem Papier und trat einen Schritt auf ihn zu.

In diesem Augenblick riss sich der Hund los, sprang in meine Karre, schnappte sich den Rest der Brühwurst, verschlang sie und blieb im Wagen, als wartete er auf Nachtisch.

»Rufen Sie Ihren Köter zurück«, schrie ich ihn genauso an wie einen Tag später Marcel Langer in genau der gleichen Lage. Hastig suchte ich an der Beifahrerseite Schutz. Erschreckt durch meine schnelle Bewegung, sprang der Hund heraus. Schnell stieg ich ein, manövrierte mich mühsam hinter das Lenkrad und knallte die Tür zu.

Da erst merkte ich, dass ich vor lauter Panik den Brief fast zerknüllt hatte. Das brachte mich zur Besinnung. Was wollte ich hier eigentlich? Und was hatte ich erwartet? Dass der unfreundliche Mensch, den ich aus Berlin angerufen hatte, die verlorene Schwester an sein Herz drücken und ihr ein neues Zuhause anbieten würde?

Das war doch albern. Der Typ hatte Angst, dass ich Forderungen stellen, sein Leben durcheinanderbringen und ihn möglicherweise noch ärmer machen wollte, als er ohnehin schon aussah.

Er näherte sich meinem Auto. Ich ließ das Fenster nur so weit runter, dass der Hund, der an der Seite hochsprang, keine Pfote dazwischenlegen konnte.

Gerd trat ganz dicht heran.

»Sie sind Katja Klein«, zischte er ins Auto, »eine abgehalfterte Berliner *Mode*journalistin ...« Da er nicht wusste, dass mich die besondere Betonung der ersten beiden Silben meiner Berufsbezeichnung nicht beleidigen konnte, verbuchte ich dies als einen Punkt für mich. »... unehelich geboren, selbst auch nie verheiratet oder liiert ...« Ein weiterer halber Punkt für mich. Mein langjähriger verheirateter Liebhaber hätte Google was gehustet, hätten entsprechende Seiten ihn mit mir in Verbindung gebracht.

»… die gleich nach ihrer Kündigung wegen einer Fliegerbombe ihre Wohnung verlassen musste …«

Ein Punkt für ihn. Oder auch nicht. Wenn er so bemüht war, sich derart aktuelle Informationen über mich zu verschaffen, musste ihm der Allerwerteste ganz schön auf Grundeis gehen. Aber warum? Hatte er nach meinem Anruf mit meinem Besuch gerechnet und gar eine Detektei auf mich angesetzt? Höchst beunruhigend, das Ganze.

»… und weil deren Mutter Anna Klein jüngst den Löffel, Pardon, das Putztuch hat abgeben müssen, macht sich die trauernde Tochter in die Eifel auf, um dort die einzigen Rechte einzufordern, die sie noch zu haben glaubt. Aber da hat sie sich gewaltig geschnitten.«

Er lehnte sich triumphierend zurück. Rechte? Ich hatte mich nur auf die Suche nach meinen Wurzeln begeben wollen, mehr nicht. Aber wenn mir dieser in meinem Leben herumschnüffelnde Unsympath unterstellte, von möglichen Rechten Gebrauch machen zu wollen, dann sollte ich das tatsächlich auch erwägen. Unser gemeinsamer Vater – so dachte ich damals, als uns noch keine DNA-Analyse die familiäre Verbindung abgesprochen hatte – wusste von meiner Existenz und hatte mir möglicherweise etwas vermacht. Wenn dem so war, wollte ich es zumindest wissen. Aber dafür mussten wir ohne trennende Autoscheibe und Wachhund miteinander reden.

»Ich warte«, sagte er, »was wissen Sie über mich? Haben Sie Ihre Hausaufgaben auch so gründlich gemacht wie ich?«

»Darüber«, sagte ich, »sollten wir in einem anderen Ton, zu einer anderen Zeit und vor allem an einem anderen Ort sprechen.« Ich deutete auf den Hund.

Er ließ sich darauf ein, schnauzte mich an, nach links den Berg hinunterzufahren und im Hotel Balter in Losheim einzuchecken. Im Gebäude daneben, also in der Krippana, habe er abends zu tun. Er werde die Pforte zum Hintereingang des Geländes öffnen, und dort sollte ich ihn gegen zwanzig Uhr aufsuchen.

»Mit den Unterlagen!«

Ich folgte seinen Anweisungen. Kurz vor zwanzig Uhr nahm ich die Jutetasche aus dem Auto, blickte angeekelt auf die Fettflecke, zog die Briefe heraus und machte mich mit ihnen auf den Weg.

Hätte ich sie doch bloß in der unappetitlichen Tasche gelassen! Die hätte er mir leichter entreißen können als das Bündel Briefe, das wie mit meiner Hand, die es verkrampft hielt, verwachsen zu sein schien! Dann wäre es vor den Puppenaugen von Josef, Maria und den mampfenden Viechern nicht zu dem Handgemenge gekommen, bei dem ich mein ganzes Gewicht in die Waagschale und Gerd somit über das niedrige Geländer stieß, das die Heilige Familie und ihren Anhang von uns trennte.

Es ging ganz schnell. Er verlor die Balance und fiel hintenüber in die Lebendkrippe hinein.

Froh, Zeit gewonnen und die Briefe nicht verloren zu haben, war ich davongeeilt, ohne mich um sein Wohlergehen zu kümmern. Aber was sollte einem ausgewachsenen Mann schon zustoßen, der in eine Jesuskrippe voller Stroh plumpst?

Als ich das Ergebnis am nächsten Morgen sah, glaubte ich erst, Gerd wäre so unglücklich auf den Bergkristall gestürzt, dass sich ihm dessen scharfe Kanten in den Schädel gebohrt hatten. Tatsächlich hielt ich mich für eine Mörderin.

Ein ungutes Gefühl hatte mich bewogen, in aller Frühe an den Ort unseres Streits zurückzukehren. Ich hatte nämlich erwartet, dass mich Gerd im Hotel aufsuchen würde, und mich gewundert, als er sich nicht blicken ließ. Dort hätte ich in der Gaststube mit ihm geredet, wo er kein solches Theater hätte aufführen können wie zuvor in der Krippana.

»Was genau hat er Ihnen denn gesagt?«, fragte mich Marcel Langer, als ich bei dem Geständnis in meinem Haus – immer noch ein merkwürdiger Gedanke: mein Haus – an dieser Stelle der Geschichte angekommen war.

»Er hat mich auf das Übelste beschimpft«, wich ich aus, »und als ich ihm die *Unterlagen* nicht ausliefern wollte, wurde er handgreiflich. Das ist doch Notwehr, oder?«, fragte ich. »Und den Bergkristall habe ich wirklich nicht gesehen, als Gerd über die Brüstung stürzte.«

»Ich weiß. Er war gar nicht da.«

»Wer?«

»Der Bergkristall. Der ist erst später dort deponiert worden. Von dem Mörder.«

»Ich habe meinen Bruder wirklich nicht umgebracht?«

»Haben Sie mit einer Art Faustkeil zugeschlagen?«

»Natürlich nicht! Ich hatte doch die Briefe in der Hand!«

»Dann waren Sie es auch nicht. Aber glimpflich ist er bei dem Sturz auch nicht davongekommen.«

»Die Milchkanne«, sagte ich stumpf. Das schwere metallene Objekt, das als Zierde in der Krippe stand, war mir erst aufgefallen, als ich die Krippana mit Hein besucht hatte.

Der Polizeiinspektor nickte.

»Er ist mit dem Hinterkopf unglücklich auf den Rand aufgeschlagen und könnte eine kurze Zeit benommen gewesen sein. Was sich der Mörder zunutze gemacht hat. Er hat ihn mit dem faustkeilartigen Gegenstand erschlagen. Danach den Bergkristall aus dem Laden geholt, ihn mit Gerds Blut präpariert und so hingelegt, dass es aussehen musste, als wäre Gerd darauf gestürzt. Was wir zunächst ja auch geglaubt haben.«

»Wegen Totschlags kann ich also nicht angeklagt werden«, sagte ich erleichtert. »Werden Sie mich jetzt wegen unterlassener Hilfeleistung festnehmen?«

»Zum Beispiel«, sagte der Polizist. »Aber darüber sprechen wir morgen. Wussten Sie, dass Gerd Christensen ein steinreicher Mann war?«

»Was!«

»Ja. Geldscheffeln schien sein Hobby gewesen zu sein. Ein echter Dagobert Duck. Er hat kaum was ausgegeben, nur eingenommen.«

»Und wo kam das Geld her?«

»Das wird zurzeit noch geprüft. Saubere Geschäfte waren es bestimmt nicht. Ich dachte, Sie würden fragen, wo es hingeht.«

»Wohl kaum zu mir, wenn er nicht mein Bruder war«, gab ich zurück und forderte Langer auf, jetzt sein Versprechen zu halten und mir endlich zu verraten, wer mein Vater war.

»Ich habe Ihnen alles gesagt. Das war der Deal. Jetzt sind Sie dran!«

»Wie heißt das Zauberwort mit den zwei t?«

»Aber flott!«

Er lachte, wurde aber sofort wieder ernst und sagte ohne Umschweife: »Karl Christensen.«

Ich verstand gar nichts mehr. »Wieso das denn? Dann war Gerd doch mein Bruder!«

»Nein, weil *er* nicht Karl Christensens biologischer Sohn war. Sondern zweifelsfrei der von Werner Arndt.«

Wie lange ich mit offenem Mund dagesessen habe, weiß ich nicht mehr. Irgendwann beugte sich Marcel Langer vor und schloss ihn mit einem Stups unter mein Kinn.

»Ja, das ist schlimm«, sagte er nickend. »Hat nicht einmal vor der eigenen Schwester Halt gemacht, der alte ...«

Er brach ab.

»... Schweinehund«, vervollständigte ich erschüttert seinen Satz, während mir Szenen aus Franz-Xaver-Kroetz-Filmen durch den Kopf schossen. Aber endlich ergab vieles einen Sinn.

»Werner Arndt hat es Gerd verraten! Deswegen also hat er mit Gudrun Schluss gemacht! Bei Sex mit der eigenen Schwester kamen sogar Gerd Christensen moralische Bedenken!«, sinnierte ich.

»Gut möglich. Das werden wir nie genau wissen. Aber juristisch gesehen sind Sie nach wie vor die Erbin.«

»Juristisch hat mich Karl Christensen nicht anerkannt«, warf ich ein. »Nur in Briefen, die vor Gericht sicher nicht verwertbar sind.«

»Und in einem weiteren handschriftlich verfassten Schreiben an seinen Anwalt, das dem Testament beigelegt war. Auch der Brief ist nie abgeschickt worden.«

»Gerd hat also die Schriftstücke abgefangen, aber warum hat er sie nicht sofort vernichtet?«, fragte ich.

»Auch das werden wir nie wissen«, antwortete Marcel Langer. »Vielleicht hat ihn seine Sammelleidenschaft für schriftliche Unterlagen jeder Art davon abgehalten. Er war ein echtes Eichhörnchen, hat alles aufgehoben. Die Kollegen machen Überstunden, für sich durch all die Papierberge zu ackern, die wir hier rausgeschleppt haben.«

Und dann forderte er mich auf, in seinen Jeep zu steigen und mit ihm nach St. Vith zu fahren, wo ich in einer Sicherheitszelle die Nacht verbringen sollte. »Wegen Fluchtgefahr«, bemerkte Langer nicht sehr überzeugend.

An der Tür dieser Zelle wird jetzt gerüttelt.

»Frau Klein, sind Sie wach?«

»Ja, und ich muss wieder aufs Klo.«

Es wird weiter gerüttelt. »Verdammt, wir haben hier ein Problem!«

»Untertreiben Sie nicht«, brülle ich Marcel Langer durch die Tür an.

»Es ist mein Ernst. Ich kriege die verdammte Tür nicht auf! Der Riegel rührt sich nicht!«

»Ich muss dringend!«

Während eine halbe Stunde lang draußen alles Mögliche ausprobiert wird, geht mir drinnen alles Mögliche durch den Kopf. Ich sitze in einer Polizeizelle gefangen, die sich von außen nicht öffnen lässt. Es sei denn mit Gewalt. Ich sitze in einem Rätsel gefangen, das sich von außen nicht lösen lässt. Wie dann? Zum ersten Mal dämmert mir, dass mich Marcel Langer eingesperrt haben könnte, weil er mich vor Gewalt schützen will. Drei Männer haben ihr Leben durch Gewalt verloren, und meine eigene Geschichte, die irgendwie mit der dieser Männer verwoben ist, soll nicht auch noch ein blutiges Ende finden.

Bisher habe ich mich nur treiben lassen, auf Handlungen reagiert, ohne selbst wirklich eine Initiative zu ergreifen. Ich tue, was ich mein ganzes Leben lang getan habe: andere beobachten, aus ihrem Verhalten Schlüsse ziehen, Sprüche klopfen und mich selbst bedeckt halten. Damit muss jetzt Schluss sein. Ende im Gelände. Ich muss mich jetzt selbst in das Rätsel hineinbegeben, um es zu ergründen. Alle Betroffenen mit meinen Erkenntnissen konfrontieren und sie zu einer Stellungnahme zwingen. Notfalls auch mit etwas Gewalt.

Die gerade an meiner Tür angewendet wird.

»Wir haben eine Trennscheibe!«, ruft der Polizist erleichtert. Nach einigen hässlichen Zahnarztgeräuschen fliegt meine Zellentür auf, und ich stürze auf die Toilette.

Etwas später

Ich reibe mir die Augen, als ich Langers Schreibtisch sehe. Anstelle von Computer, Knöllchenbergen und anderem Papierkram ist dort ein kaltes Buffet aufgebaut. Mit Croissants, Nordseekrabbencocktail, frischem Orangensaft, Kräuterquark, belgischem Reiskuchen und Eiern im Glas. Und eine meiner Lieblingskombinationen, die ich ihm wohl in der Saufnacht verraten haben muss: eine große Scheibe Wassermelone mit Fetakäse. Bevor mich die Rührung übermannt, schnauze ich den Polizisten lieber an: »Wollen Sie mich etwa mästen? Oder erwarten Sie, dass ich singe, wenn Sie mir ein gekochtes Ei unterschieben?«

»Nur zu, wenn Sie Ihrer Aussage noch etwas hinzuzufügen haben ...«, erwidert er friedfertig, reicht mir eine Serviette und deutet auf das Buffet. »Sie können dabei ruhig essen. Der Kaffee ist gleich fertig.«

»Ist das die landesübliche Stärkung vor dem Auftritt beim Staatsanwalt oder eine Henkersmahlzeit?«

»Ich kann es auch wieder wegräumen.«

»Unterstehen Sie sich. Hungrig begebe ich mich auf keine Reise. Ganz gleich, wo die hingeht.«

Sie geht nicht zum Staatsanwalt nach Eupen. Als ich nach dem ausgiebigen Frühstück zu Langer in den Jeep steige, gesteht er tatsächlich, mich zu meiner eigenen Sicherheit verwahrt zu haben. Er habe berechtigte Sorge, dass auch ich ein Opfer der um sich greifenden Kehrer Gewalt werden könnte. Er stelle mir anheim, ihn wegen Freiheitsberaubung anzuzeigen. Aber erst würde er mich heim auf die Kehr fahren. *Heim auf die Kehr.* Wie friedlich das klingt!

»Ich werde es mir überlegen«, sage ich und überlege stattdessen, in was für eine wunderschöne Umgebung es mich verschlagen hat.

Sehr schnell lassen wir die kleine Stadt hinter uns, fahren bergauf in Serpentinen durch ein Waldgebiet, kommen an wildromantischen Lichtungen vorbei und befinden uns plötzlich auf einer Höhe, von der ein Blick über bewaldete Bergrücken und ein liebliches Tal den Atem stocken lässt. »Der Prümer Berg«, informiert mich Langer, »gehört auch noch zu Belgien.« Dann geht es wieder bergab. Unten windet sich abwechselnd zur Rechten und zur Linken der Straße das Flüsschen Our, wie mich Langer nebenbei informiert.

»Baustellen zu verkaufen«, lese ich ein Schild am Straßenrand laut vor und frage Langer, ob der Käufer einer belgischen Baustelle Wegezoll erheben dürfe. »Wozu sollte man eine Baustelle sonst erstehen wollen?«

»Für ein Haus drauf zu bauen«, schnauzt mich der Polizist an und drückt noch mehr auf die Tube. Ich sollte wirklich netter mit den vermeintlich deutsch-sprachigen Bewohnern dieser schönen Gegend um-gehen. Also lobe ich beim Ortsschild Eiterbach das Understatement einer Nation, deren Tourismusbranche es nicht nötig hat, diesen zauberhaften Flecken um-zubenennen und als Paradies auszuweiden.

»Hier gibt's doch nichts!«, grunzt Langer, der seinen Jeep für meinen Geschmack viel zu flott durch die von Schlaglöchern übersäten Kurven steuert. Bei dem zwar seltenen, aber nicht minder hurtigen Gegenverkehr schließe ich die Augen. Hier würde ich das Autofahren völlig neu erlernen müssen.

»Stimmt es, dass man früher seinen Führerschein in Belgien einfach kaufen konnte?«, frage ich.

»Nun«, weicht Langer aus, »Niederländer kaufen ihre Führerscheine heute noch auf den Antillen, zu-sammen mit dem Urlaub dort. Außerdem lernt man das Autofahren nicht in der Fahrschule.«

Er tritt hart in die Bremsen. Von einem Bauern und einem Kind angetrieben, überquert eine Kuhherde die Straße. So, wie Alf sich das auf der Kehr wohl auch vorgestellt hat. Eben mal die Bundesstraße blockie-ren, weil die Tiere zum Melken in den Stall gebracht werden müssen. Aber wenn ein einzelner Hund in Deutschland über die Straße rennt, wird er fast von einem Cabrio umgenietet ... Von einem roten Cabrio, das Hein angeblich nicht gehört. Dauernd kehren mei-ne Gedanken zu meinem ungelösten Rätsel zurück. Die von Langer offenbar auch.

»Ich hatte Nachtdienst, musste die bisher gesammelten Berichte der SOKO studieren und hatte ein sehr ungutes Gefühl, Sie in dieser Lage auf der Kehr allein zu lassen«, sagt er und winkt dem Bauern zu.

»Tag, Marcel«, ruft der, natürlich mit der Betonung auf der ersten Silbe, »kommst du morgen zum Karten?«

»Kann leider nicht«, schreit Langer aus dem offenen Wagen. Ehe ich irgendetwas fragen kann, setzt er hinzu: »Zumal Sie Gudrun nicht mehr vertrauen, Finchen Mertes genug um die Ohren hat und Sie sonst niemanden kennen, bei dem Sie einigermaßen geschützt nächtigen konnten. Und weil ich Sie mit den Untersuchungsergebnissen konfrontiert und der Lüge überführt habe, schien mir das der vernünftigste Weg zu sein, Sie aus der Schusslinie zu bringen. Sie sind gefährdet, solange wir nicht wissen, was der Einbrecher in Ihrem Haus gesucht hat. Ich hoffe, Sie nehmen mir meine Vorsichtsmaßnahme nicht übel.«

Antworten kann ich nicht, da er gerade mit einem haarsträubenden Überholmanöver einen Langholztransporter mit der Aufschrift *convoi exceptionnel* hinter sich bringen möchte. Ich atme tief durch, als wir wieder auf der rechten Spur sind.

»Ich hätte bedenkenlos bei Jupp die Nacht verbracht«, teile ich ihm mit. »Da wäre es sicher komfortabler gewesen.«

»Dem Jupp vertrauen Sie?«

»Sollte ich nicht?«

»In Ihr Haus wurde eingebrochen, als Sie mit Hein die Höckerlinie entlangliefen, in Losheim Kaffee getrunken und die Krippana besichtigt haben. Hein hat Jupp telefonisch darüber in Kenntnis gesetzt. Könnte doch durchaus sein, dass der, vielleicht auch im Auftrag von Ihrem Freund Hein, Gerds Arbeitszimmer verwüstet hat.«

»Glauben Sie das?«

»Ich weiß nicht, was ich glauben soll. Nur, dass auch ich diesen Menschen, die ich mein Leben lang kenne, nicht mehr bedenkenlos vertrauen kann.«

»Das verleiht eine Ahnung von Heimatlosigkeit«, sage ich leise und fühle mich Langer mit einem Mal verbundener als zuvor.

Es gibt niemanden mehr, den ich ein Leben lang kenne, aber ich habe Jupp und Hein vertraut und sie nach ein paar Stunden Gemeinsamkeit für mich sogar als meine Freunde tituliert. Was hat uns wirklich miteinander verbunden? Die Freude an einem schönen Biedermeierzimmer, das Lüften eines Geheimnisses, die alte Mutter und ein Gefühl.

Ein Gefühl! Die diffuseste, trügerischste und am leichtesten manipulierbare menschliche Regung. Unglaublich, dass gerade ich mich davon habe einlullen lassen. Als Moderedakteurin weiß ich doch, wie dieses Klavier gestimmt und dem Menschen eingetrichtert wird, ohne diesen Stoff, diese Farbe, diesen Schnitt und eben diesen Kauf kein Glück finden zu können. Man appelliert schlichtweg an den Wunsch des Individuums, dazuzugehören. In meinem Fall zur Außenseiter-Fraktion.

Als Eventmanager versteht Hein, den Massen eine Veranstaltung schmackhaft zu machen, und ein Blick auf mich genügte, um seine weitere Vorgehensweise zu bestimmen.

Marcel Langer hat recht. Hein hat Zeit herausgeschunden, mich in die Krippana genötigt, eine kleine Bergwanderung veranstaltet und mir mit der Offenbarung seines Freundes jeglichen Zweifel an seiner Redlichkeit genommen. Während Jupp in aller Ruhe bei mir einbrechen konnte, bevor er uns Tee servierte. Klassisch. Der Spion, der seine heimliche Tätigkeit mit der verbotenen Einfuhr von Waffen tarnt. Wie perfide, mir gerade mit der durchaus verständlichen Reaktion seiner auf dem Lande lebenden Mutter – *was sollen die Nachbarn sagen!* – Verständnis für seine Lage abzunötigen und mich zu seiner Bundesgenossin zu machen. Meine Gutgläubigkeit ist nur durch die Vielzahl der sich überstürzenden schrecklichen Ereignisse zu erklären. Und vielleicht durch den Wunsch, aus meiner selbstgewählte Einsamkeit herauszukommen. Bestimmt eine erste Alterserscheinung. Freunde zu suchen für im Alter nicht allein zu bleiben und sich das Hochdeutsch zu versauen.

Vielleicht waren die beiden ersten Morde nur ein Ablenkungsmanöver, um falsche Spuren zu legen und die wahren Beweggründe für den Mord an Alf zu verschleiern? *Wir alle haben Familie verloren* hat Gudrun gesagt, aber keinem von uns geht der Verlust des jeweiligen Familienmitglieds wirklich nahe. Gudrun und Hein haben unter ihren Vätern gelitten, und ich habe in dem ermordeten Gerd keinen Bruder gesehen. Der er ja schließlich auch nicht war.

»Vorsicht!«, brülle ich und ziehe die Handbremse, als plötzlich ein Traktor aus einer Einfahrt auf die Straße einbiegt.

Wir kommen zu einem quietschenden Halt.

Marcel Langer wirft mir einen missbilligenden Blick zu, löst die Handbremse und erklärt: »Das war völlig unnötig, Frau Klein, ich kenne diese Straße ...«

»... Ihr ganzes Leben lang«, setze ich süffisant hinzu. »Und wahrscheinlich auch den Bauern, der diesen Traktor fährt und den Traktor selbst. All diese Faktoren hätten eine Kollision nicht verhindert.«

Ich wende mich um und deute nach hinten auf die Straße. »Sehen Sie doch selbst, wie lang der Bremsweg war. Sie wären zu spät in die Eisen gegangen.«

»Ich wäre um ihn herumgefahren«, brummt Langer, ohne sich umzudrehen.

»In der Kurve?«

»Um diese Zeit ist Gegenverkehr unwahrscheinlich.«

»Aber nicht ausgeschlossen.«

Wie zur Bestätigung donnert uns ein Tanklaster entgegen. Ich sage nichts mehr, trage aber wahrscheinlich ein sehr selbstzufriedenes Lächeln zur Schau. Zu Recht finde ich, denn ich habe endlich mal gehandelt, meine Dackelstarre abgelegt und nicht nur reagiert.

Handeln wird zu meinem Motto des Tages. Als Erstes suche ich das Mädchen Nicole auf, bei der wir Linus für die Nacht untergebracht haben. Voller Angst, den geliebten Höllenhund wieder abgeben zu müssen, versteckt sich das Kind mit Linus vor mir. Ich spreche mit den Eltern, die sich bereit erklären, das Tier noch eine Weile zu versorgen.

Ein ernstes Gespräch mit Fine steht zwar auf meiner Agenda, aber das verschiebe ich auf den Abend, da ich erst noch weitere Informationen sammeln will. Zum Beispiel von Jupps Mutter. Der werde ich diverse Konserven zur Auswahl mitbringen. Keine Mandarinen, die werden ihr mit Sicherheit inzwischen in solchen Mengen offeriert worden sein, dass sie um die Gnade anderer Einmachware betet.

Womit war ein Lebensmittelladen um die Zeit meiner Geburt bestückt? Maiskölbchen, Sojabohnen, Nasi Goreng sowie Artischocken- und Palmenherzen scheiden da schon aus. Ich muss ein Lebensmittel finden, dessen Geruch und Geschmack die alte Frau mehr als vierzig Jahre zurückkatapultieren. In die Zeit, da meine Großeltern ihren Lebensmittelladen verloren haben, Maria Christensen in den Bunker gefallen und meine mit mir schwangere Mutter aus der Eifel nach Berlin abgehauen ist. Die Morde von heute hängen irgendwie mit den Geschichten von damals zusammen. Davon bin ich überzeugt, auch wenn sonst niemand in diese Richtung recherchiert. Deshalb muss ich den Film auch endlich entwickeln lassen.

Bevor ich nach Prüm fahre, statte ich meinem Kälbchen noch einen Besuch ab. Unglaublich, dass es erst gestern das Licht der Welt erblickt hat! Anders als menschlicher Nachwuchs, den ich erst im Kindergartenalter meiner Gattung als zugehörig betrachte, ist dieses Tier schon ein richtiges Rind. Es steht stabil auf seinen vier Beinen und säuft, was ihm vorgesetzt wird. Erst kommt es neugierig auf mich zu, rückt aber rasch von mir ab, als ich die Hand zum Streicheln ausstrecke und es den karnivorischen Menschen wittert. Das ist kein Gefühl, sondern ein sehr gesunder Instinkt. Der ihm das Leben aber auch nicht retten wird. Der Schlachter, der in meiner Vorstellung Jupps Züge annimmt, wird ihm trotzdem den Kopf abschlagen oder was man sonst mit einem zum Tode verurteilten Nutztier tut.

»Möchtest du melken lernen?«

Ich wirbele herum. In Jeans, Gummistiefeln, mit zurückgebundenen Haaren und einer Mistgabel in der Hand steht Gudrun vor mir.

»Ich habe echt ein Problem«, fährt sie fort. »Diese Tiere interessiert es nicht, ob es Sonntag ist, dat Finchen Migräne hat, sich der Hein seine neuen Schuhe nicht versauen will oder schon wieder jemand ermordet wurde. Sie müssen gemolken werden, und allein kann ich das auf Dauer nicht schaffen.«

»Was ist mit Jupp?«, frage ich.

»Der ist auf Arbeit. Deswegen frage ich dich ja. Es ist gar nicht so schwer. Du wirst den Dreh schnell raushaben.«

»Vielleicht morgen«, weiche ich aus. »Ich habe noch einiges zu erledigen.«

»Warum hat dich der Marcel denn nach St. Vith mitgenommen? Glaubt der immer noch, dass du die Mörderin bist? Und warum läufst du dann jetzt frei herum und verschreckst die Kälbchen?«

Meins hat sich tatsächlich ganz tief in seine Hundehütte zurückgezogen.

»Gudrun ...«, beginne ich zögernd, »bist du gerade sehr beschäftigt?«

»Siehst du doch!«, erwidert sie unwirsch und sticht die Mistgabel in den Boden.

Ich weiß, dass sie erst um halb fünf zum Melken muss, und nutze die Gunst der frühen Stunde. Aber ein *Ichmussmitdirreden* scheint bei dieser Frau unangebracht, die selbst immer bestimmt, was, wann, wo und wie geschieht. Also platze ich ohne Vorankündigung mit meiner Information einfach heraus.

»Ich weiß, warum Gerd mit dir Schluss gemacht hat. Er hat erfahren, dass du seine leibliche Schwester bist.«

Gudrun wird blass, stützt sich auf die Mistgabel und will protestieren. Ich fahre unbeirrt fort: »Dein Vater hat seine eigene Schwester, Gerds Mutter, geschwängert und es gewusst. Deshalb war er gegen eure Beziehung.«

»Nein!«, schreit mich Gudrun an, »nein! Du lügst. Das kann nicht sein!«

Ich schaue ihr nicht in die Augen, will mich von keinem Elend weich machen lassen und fahre fort: »Doch. Das hat die Genanalyse ergeben. Gerd war nicht mein, sondern dein Bruder. Vielleicht habt ihr euch deswegen so gut verstanden. Zwei Menschen, die ganz unbarmherzig über alles und jeden immer die Kontrolle behalten wollen.«

Der letzte Satz ist mir herausgerutscht. Ich würde ihn liebend gern zurücknehmen.

Gudrun zieht langsam die Mistgabel aus dem Boden.

»Du...hu ...«, zischt sie, »... hast ihn also doch gesehen. Lebend.« Sie hält die Mistgabel wie einen Speer vor sich.

»Ja«, gebe ich zu, »ich habe mit ihm gesprochen. Das war aber auch alles. Ich habe ihn nicht umgebracht. Er, dein Vater und Alf sind alle von einer Art Faustkeil niedergestreckt worden. Bitte, Gudrun, leg das Ding endlich weg.«

»Warum sollte ich!«, faucht sie mich an und lässt die Mistgabel sinken. »Ich muss doch arbeiten! Im Gegensatz zu euch anderen. Und ich glaube dir kein Wort!«

Sie dreht sich um und stapft auf den Stall zu. Armes Mädchen. Sie wird mehr zu verarbeiten haben, als nur den Stall auszumisten und zu melken. Ich wäre ihr gern nachgegangen, um ihr beizustehen und zusammen mit ihr über all die verlorenen Träume zu weinen, aber dafür fehlt mir die Zeit. Auch ich muss arbeiten. Nicht um Geld zu verdienen, sondern um im wahren Sinn des Wortes zu überleben. Ich muss endlich den Film entwickeln lassen. Den hatte ich in der Aufregung der vergangenen Nacht ganz vergessen.

Auf der Fahrt nach Prüm erkläre ich mich zu einer Närrin, Gudrun überhaupt verdächtigt zu haben. Nur weil sie so patent, bestimmt und ihrer selbst sicher wirkt. Ein reiner Schutzmechanismus gegen die Macho-

Gesellschaft, in der sie lebt. Sie wurde von ihrem Vater ausgebeutet und von Alf. Wahrscheinlich auch von Gerd, der zur Befriedigung seiner sexuellen Bedürfnisse keine umständlichen Wege einschlagen musste, sondern diese in der Nachbarschaft ausleben konnte. Die gebieterische Gudrun ist weit mehr ein Opfer, als es meine Mutter je war. Die hatte ihr Schicksal in die eigene Hand genommen, aus sicherlich gutem Grund ihre Heimat verlassen und sich in Berlin eine unabhängige Existenz aufgebaut.

Während ich an dem Mooshaus, das Langer bei meiner ersten Vernehmung erwähnte, vorbeifahre, bitte ich Gudrun einiges ab. Eine Mörderin ist sie bestimmt nicht.

Eine ähnlich kurvenreiche Straße wie die von St. Vith zur Kehr nimmt meine volle Aufmerksamkeit in Anspruch. Ich denke an Traktoren, die plötzlich aus einer Einfahrt heraustrudeln können, und drossele die Geschwindigkeit. Zum Glück, denn in einem Waldstück vor Knaufspesch springt plötzlich ein Reh über die Straße.

Autos mit belgischen, luxemburgischen und niederländischen Kennzeichen überholen mich. Ungeduldig hupt mich ein Belgier an, aber ich lasse mich nicht hetzen.

Schwarzer Mann lese ich auf einem Schild, *Prüm Air Station* auf einem anderen und *Wolfsschlucht*. Die bedrohlichen Namen lassen Gefahren ahnen, die in dieser idyllisch bewaldeten Hügellandschaft lauern.

Prüm begrüßt mich mit einem über die Straße gespannten Band in Frakturschrift, das zu irgendeinem Musikereignis einlädt. Der Belgier, der es so eilig gehabt hat und dann hinter einem Holztransporter kleben geblieben ist, schafft es beim Tempo-30-Schild endlich, den Störenfried zu überholen. Den Blitz aus dem Starenkasten vor der Kreuzung gönne ich ihm.

Die Aufschrift *Polizei* zu meiner Linken interpretiere ich als höheres Zeichen und halte kurz entschlossen an.

Polizeihauptkommissar Josef Junk empfängt mich freundlich, spricht mir sein Beileid aus und bemerkt wie nebenbei, ich hätte gut daran getan, meine Aussage endlich zu vervollständigen. Er weidet sich kurz an meiner Verblüffung, dass ein erst vor wenigen Stunden in Belgien aufgenommener Bericht bereits im deutschen Prüm angekommen ist.

»Wir stehen in ständigem Kontakt mit der belgischen Polizei«, sagt er, »auch ohne Kapitalverbrechen senden wir uns täglich Ereignisberichte zu.« Ich frage, ob es in der Kehrer Sache denn Neuigkeiten gäbe.

Junk schüttelt den Kopf. Als Journalistin wisse ich sicherlich, dass er mich über den Stand der Ermittlungen nicht informieren dürfe, aber dass die drei Fälle miteinander in Verbindung stünden, sei ja kein Geheimnis mehr. Die internationale SOKO mache Überstunden. Er deutet auf ein Papier, das mit *Polizeizone Eifel* überschrieben und in die Bereiche Luxemburg, Belgien, Frankreich und Prüm aufgeteilt ist.

»Dann muss Prüm ja sehr wichtig sein«, bemerke ich überrascht.

»Aber sicher, schon seit dem frühen Mittelalter«, versichert Junk. Hier habe einst die Hausabtei der Karolinger gestanden, Karl der Große sei hier geboren, und die prächtige Salvatorkirche am Hahnplatz bewahre nicht nur den Sarkophag Kaiser Lothars, sondern auch die Sandale Jesu, die König Pippin im achten Jahrhundert aus Rom mitgebracht habe.

Beeindruckt von der Bedeutung dieses Städtchens und beschämt ob meiner bisherigen Unbildung, rüttele ich wenig später an der Glastür eines Fotoladens.

Mittwochnachmittag geschlossen.

»Hallo, Katja!«

Vor mir steht eine sehr elegant in Rotviolett gewandete Erscheinung mit roten Schuhen und dazu passenden frisch gefärbten Haaren.

»Gefällt es dir?«, fragt Hein und fasst sich an den Schopf. »Ich wollte mal was anderes ausprobieren.«

Ich benötige ein paar Sekunden, um mich von dem Schreck zu erholen, dem Mann gegenüberzustehen, den ich jetzt für den Drahtzieher der drei Morde halte. Weiß Hein, dass die alten Ägypter die Farbe Rot als Dämonisches, Böses und Zerstörerisches betrachteten? Dass sie unter dem Begriff *Rot machen* töten verstanden? Hat ihm ein kollektives historisches Unterbewusstsein diese verräterische Farbe eingegeben?

»Was werden die Nachbarn sagen, wenn du mit roten Haaren zur Beerdigung deines Vaters kommst?«, frage ich zurück.

»Dass bei einigen chinesischen Völkern Rotviolett als Trauerfarbe gilt«, kontert er und hakt sich bei mir ein.

»Du kannst deine Bilder ja im Drogeriemarkt entwickeln lassen«, setzt er hinzu und deutet auf den Rollfilm in meiner Hand.

Hastig lasse ich das wahrscheinlich wichtige Beweisstück in der Handtasche verschwinden und nutze die Gelegenheit, mich zu enthaken. Mit einem Mann, der andere Menschen zum Morden instrumentalisiert, wünsche ich keine Tuchfühlung.

Er spürt mein Unbehagen, fragt voller heuchlerischem Mitgefühl, ob mir Marcel Langer in St. Vith denn so schrecklich zugesetzt habe und ob er etwas für mich tun könne.

Dass er mit einem Mordgeständnis der ganzen Gesellschaft einen Gefallen täte, verschweige ich lieber und bitte ihn stattdessen, mir den Weg zu einem Supermarkt zu weisen.

»Da muss ich auch hin«, sagt er, »und in der Drogerie nebenan kannst du deine Fotos entwickeln lassen.«

Wovon ich allerdings absehe, als ich im Drogeriemarkt das Regal sehe, wo die fertigen Bilder in Umschlägen von jedermann herausgeholt werden können. Sollte mein Begleiter ahnen, dass diese altmodische Filmrolle verräterisches Material enthält, könnte er mir zuvorkommen.

Ich rede mich heraus. Die Qualität der Massenabzüge lasse zu wünschen übrig, weshalb ich lieber warten wolle, bis das Fachgeschäft wieder öffne. Ich rechne mit Protest seinerseits, der eloquenten Versicherung, niemand mache bessere Abzüge als das Labor der Drogerie, aber so dumm ist er nicht. Sonst hätte er sich bestimmt schon viel eher eine Blöße gegeben.

Im Supermarkt weist Hein lachend auf eine Theke neben dem Eingang.

»Schau an, hier kann man jetzt auch Fotos entwickeln lassen!«, ruft er und setzt hinzu, »aber wahrscheinlich sind die Abzüge genauso grausam wie die von nebenan.«

»Bestimmt«, murmele ich und gehe mit ihm und großem Bedauern an dem Schild *Express Foto* vorbei.

»Hier willst du nicht stehen bleiben«, tadelt er, als wir im Gang der Konserven ankommen.

»Doch«, antworte ich, »als die Katja vom Laden in Halzech möchte ich der Mutter meines Verlobten Jupp etwas mitbringen.«

Hein freut sich, dass ich meinen Humor wiedergefunden habe. »Musst aber nichts von hier mitholen. Jupp hat schon eine halbe Obstkonservenfabrik aufgekauft, aus der du dich bedienen kannst.«

Eine Eingebung lässt mich zu einer Dose Ravioli greifen.

»Wie ekelig!«, bemerkt Hein, »erinnert mich an meine ganz frühe Kindheit. Wenn meine Mutter keine Zeit zum Kochen hatte.«

»Eben«, gebe ich zurück. Geruch, Geschmack und Konsistenz des Inhalts sollen bei der alten Dame noch weiter zurückliegende Erinnerungen wachrufen.

»*Ich bin so wie du-hu…*«, Hein zieht sein Handy hervor, flucht über den schlechten Empfang und sprintet zum Ausgang. »Bin gleich wieder da!«

Ich bewege mich auch schneller, als mir sonst lieb ist, und renne zum Express Service. Dort bedauert man, Filme dieses Formats leider nicht entwickeln zu können. Schon gar nicht Express. Ich schaffe es gerade rechtzeitig vor Hein zum Einkaufswagen zurückzukehren.

Hein kommentiert verwundert die hektischen roten Flecken auf meinen Wangen und bestellt mir schöne Grüße von Jupp.

»Könntest du ihm einen großen Gefallen tun?«, fragt er.

»Kommt drauf an«, erwidere ich vorsichtig. Mich mit Jupp in einem einsamen Waldstück am Rande der Wolfsschlucht oder bei der Air Station am Schwarzen Mann treffen? Bestimmt nicht!

Erstaunlicherweise deckt sich Jupps Wunsch vorzüglich mit meinen eigenen Plänen.

»Ich fahre gleich hin«, antworte ich auf Heins Frage, ob ich in einer Stunde den Abend-Pflegedienst für Mutter Agnes ins Haus lassen könne. Hein reicht mir einen Schlüssel.

»Besser dein Auto steht vor der Tür als meins.«

»Und warum ist Jupp nicht zu Hause?«, frage ich in bemüht gleichmütigem Ton. Ich würde nicht nur versuchen, der Mutter Geheimnisse aus früherer Zeit zu entlocken, sondern mich im Haus auf die Suche nach einem Faustkeil begeben. Wahrscheinlich hat er ihn unter der Matratze von Mutter Agnes versteckt.

»Weil er gleich nach der Arbeit zu uns zum Melken kommt«, erwidert Hein. »Meine Mutter schafft das nicht mit ihrer Migräne.«

»Und du?«, frage ich beziehungsreich.

»Ich würde lieber alle Kühe schlachten lassen als auch nur einmal zu melken.«

Schlachten *lassen*. Klar, Hein hat für alles seine Leute.

Das Leuchten, das beim Anblick von Katja aus Halzech in die Augen von Jupps Mutter Agnes tritt, verstärkt sich, als sie die Dose mit Ravioli wahrnimmt.

»Das«, sagt sie und deutet mit zittrigem Finger auf das Etikett, »genau das! Hat mir gefehlt. Lange Zeit.«

»Aus unserem Laden«, sage ich beziehungsreich. »Ich werde sie gleich aufwärmen.«

»Gutes Kind.«

Während die Dose im Wasserbad aufs Blubbern wartet, sehe ich mich in der makellos aufgeräumten und vorzüglich ausgestatteten Küche nach einem möglichen Faustkeil um. Ich verzweifele ziemlich schnell: Neben der Nudelrolle aus Edelstahl gibt es hier jede Menge spitz zulaufender gefährlich aussehender Gegenstände, die böse Wunden verursachen können. Ein Blick in das voll gestellte Wohnzimmer mit den Spitzendeckchen und Trockenblumen entlarvt das Mörderische einer bürgerlich-rustikalen Einrichtung. Ich erschauere angesichts der scharfeckigen Kopfbedeckung einer Heiligenfigur aus Bronze, eines grotesk schweren Flaschenöffners aus Messing, einer lang gestreckten dickwandigen Pyramidenflasche mit blauem Likör, einer Marmor-Spitzmaus, eines eisernen Tannenzapfens und einer bunt bemalten birnenförmigen russischen Puppe aus Stein.

Bei so vielen potenziellen Tatwaffen im Wohnzimmer braucht Jupp weder nach einem antiken Faustkeil zu graben, noch ein entsprechend geformtes Objekt von seiner Baustelle zu klauen.

Mir stehen nicht die Mittel des polizeilichen Spurendienstes zur Verfügung. Ich werde mich lieber auf *das* oder in diesem Fall *die* Naheliegende konzentrieren, um Licht ins Dunkel einer Vergangenheit zu bringen, die vermutlich diese tödliche Gegenwart verschuldet hat.

Lass sie bitte nicht einschlafen, bete ich, als ich mit dem Teller Ravioli die steile Stiege emporklimme. Tatsächlich ist Mutter Agnes hellwach und voller Vorfreude auf ein Mahl aus einer nicht sonderlich guten alten Zeit.

Ich vermeine nur Knochen zu spüren, als ich ihr beim Aufsitzen helfe. Erstmals nimmt sie mich ganz in Augenschein und stellt befriedigt fest: »Dem Laden geht es also wieder gut.«

Ich bin rund, Geschäft ist gesund. Da kommt Sehnsucht auf, nach früheren Zeiten, als Dicksein nicht für Dummheit und Schwäche stand, sondern für Wohlstand und Behaglichkeit. Zeiten, in denen ich leider nie zu Hause war.

Während sie den Löffel zum Mund führt, taste ich mich langsam vor: »Das Problem ist aber leider noch nicht gelöst.«

»Problem?«

»Mit dem Alf. Dem Adolf Mertes.«

»Schmeckt gut. Und riecht gut.« Sie hält den Löffel

vor die Nase, als wollte sie die Ravioli darauf inhalie-
ren. Ohne zu essen, legt sie den Löffel wieder hin und
sieht mich an. Schnell stelle ich den Teller auf den
Nachttisch.

»Du bist von den Kleins von dem Laden in Halzech?«

»Ja.«

Sie beugt das Vogelköpfchen mit dem schütteren
Haar vor und bedeutet mir mit dem Zeigefinger, nahe
an sie heranzurücken.

»Hüte dich vor dem Werner!«, krächzt sie mir ins
Ohr.

»Aber der Adolf...«, insistiere ich.

»Gib mir noch was!«

Als ich ihr den gefüllten Löffel reiche, komme ich
mir wie ein Ermittler vor, der dem Junkie dosiert Stoff
zuführt, um an Informationen zu gelangen. Ein sehr
mühsames Unterfangen, aber ich arbeite mich langsam vor. Entreiße den Tiefen ihrer Erinnerung Bruch-
stücke, die sich zu einem immer deutlicheren Bild zu-
sammenfügen. Mein Großvater, Sohn eines Hamburger
Munitionsarbeiters auf der Kehr, ist hier geboren worden und hat die Tochter eines Hallschlager Lebens-
mittelhändlers geheiratet. Unter den Einheimischen
galt er sein Leben lang als Fremder, als hanseatischer
Kaufmann, dem Gespür für die Führung eines Lebens-
mittelladens in die Wiege gelegt wurde.

Jupps Mutter nennt mich bei meinem Namen, hält
mich aber für Anna, meine eigene Mutter, und rät
mir, den jungen Adolf zu heiraten, ehe ihn mir Fine
Schmitz wegschnappe.

»Für den Laden deines Vaters zu retten«, sagt sie nach der fünften Ravioli.

»Warum?«, frage ich. »Wenn er doch so ein guter Kaufmann ist?«

Sie bedeutet mir, den Teller wieder wegzustellen. Als sei ich schwer von Begriff erklärt sie abfällig: »Hamburger können handeln und rechnen, aber nicht tuppen. Dumm von deinem Vater.« Und damit schläft sie über den restlichen Ravioli ein. Tuppen? Mir fällt nicht ein, wo ich das Wort zuvor schon einmal gehört habe.

Ich schleiche die Treppe hinunter und übergebe die Staffel der Fürsorge an die Dame vom Pflegedienst, die ich eine Viertelstunde zuvor in das Horrorkabinett des Wohnzimmers geführt habe.

Ob ich den Film in Belgien entwickeln lassen kann? Ich beschließe, nach St. Vith zu fahren, um ihn Marcel Langer zu übergeben. Er wird sicherlich innerhalb der SOKO Möglichkeiten finden, schnell an die Fotos zu kommen.

Tuppen. Wann und bei welcher Gelegenheit ist dieses Wort in den vergangenen Tagen schon einmal aufgekommen?

In der Krippana! Das fällt mir ein, als ich beim Ardenner Cultur Boulevard aus Losheim kommend rechts in Richtung St. Vith abbiege, aber den Zusammenhang weiß ich nicht mehr. Das Wort *betuppen* drängt sich auf, jemanden beschwindeln, übers Ohr hauen. Vielleicht das Finanzamt? Und weshalb sollten Hanseaten dazu nicht fähig sein?

Ich gehe im Geist noch einmal meinen Krippana-Besuch mit Hein durch. Wie der Würfel bei den mechanischen Puppen in der Kneipenszene fällt bei mir endlich der Groschen: Puppen, Tuppen. Ein in der deutschen Eifel beliebtes Kartenspiel, hat Hein gesagt.

Hat mein Großvater den Familienbetrieb etwa verzockt?

»Wohl kaum«, wehrt Marcel Langer ab, als ich ihn in seinem Büro in St. Vith mit dieser plötzlichen Erkenntnis konfrontiere. »Das wäre wie ein Lauffeuer durch einen so kleinen Ort wie Hallschlag gegangen. Davon würde man jetzt noch reden.«

»Jupps Mutter ...«, setze ich an.

»... ist eine demente alte Frau«, unterbricht mich Langer, »der im Kopf einiges durcheinandergerät.«

Ich weigere mich, meine Ravioli-Divination einfach damit abzutun, und bitte ihn, doch nachzuprüfen, in wessen Hände der Laden nach dem Tod meines Großvaters übergegangen sei.

Dazu sei er als belgischer Beamter nicht befugt, erläutert er, zumal diese Information wohl kaum mit den aktuellen Morden in Zusammenhang stehe.

»Ich begreife ja, dass Sie sich mit Ihrer Familiengeschichte beschäftigen«, sagt er, »aber wir haben jetzt ganz andere Sorgen.«

Ich lasse nicht locker.

»Mutter Agnes hat in diesem Zusammenhang nur zwei Namen erwähnt, nämlich Werner und Alf. Beide Männer sind jetzt tot. Halten Sie das für Zufall?«

»Nicht unbedingt«, erwidert er, »die ganze Gegend redet doch derzeit über nichts anderes als über den dreifachen Mord. Die alte Frau könnte was aufgeschnappt und in ihrer Verwirrtheit mit Versatzstücken von früher verbunden haben.«

»In ihrem einsamen Bett?«, frage ich ungläubig zurück.

»Hören Sie«, sagt Marcel Langer und sieht plötzlich sehr müde aus. »Es muss nichts Dramatisches dahinterstecken, wenn ein Laden pleite geht. Da genügt schon etwas Pech. Habe ich selbst auch gehabt. Die Kneipe auf der Kehr hat mir damals meine Gastwirtschaft in Krewinkel ruiniert.«

»Was!«, rufe ich, »Sie waren Gastwirt?«

Das erklärt sein für einen Mann so untypisch umsichtiges und fantasievolles Einkaufsverhalten.

»In einem früheren Leben«, erwidert er. »Deshalb habe ich mich ja zum Polizisten ausbilden lassen. Weil der Laden nicht lief. Der Ihres Großvaters vielleicht auch nicht. Was damals wirklich passiert ist, können Sie heute nicht mehr nachvollziehen.«

»Es gibt Grundbucheinträge«, sage ich. »Schauen Sie doch einfach nach, wer das Gebäude übernommen hat! Ich wette das war Alf Mertes.«

»Der hatte nie einen Lebensmittelladen. Außerdem ist das Deutschland«, wiederholt er, »und hat mit dem Fall nichts zu tun.«

»Das werden wir noch sehen!«, trumpfe ich auf. »Dann wende ich mich eben an Polizeihauptkommissar Junk in Prüm. Der wird mir schon weiterhelfen.«

»Der wird auch anderes zu tun haben.«

Ich öffne die Handtasche, ziehe den Rollfilm heraus und werfe ihn Langer auf den Schreibtisch.

»Das hat aber bestimmt mit dem Fall zu tun! Lassen Sie die Bilder so schnell wie möglich entwickeln!«

Rasch erzähle ich, wo ich den Film gefunden und wie ich ihn in Verbindung zu der alten Agfa Clack gebracht habe.

»Sie meinen, der Mörder hat seine Taten fotografiert?«, fragt er mit feiner Ironie.

»Wer hebt einen Film schon in der Butterdose auf!«, fahre ich auf.

»Gerd Christensen war alles andere als ordentlich.«

»Und warum wurde bei mir eingebrochen? Irgendjemand sucht doch einen Gegenstand bei mir! Warum nicht diesen Film? Oder haben Sie einen konstruktiveren Vorschlag?«

Er schüttelt den Kopf, steckt den Film in die Hosentasche und erhebt sich zusammen mit mir.

»Lassen Sie ihn jetzt im Polizeilabor entwickeln?«

Er schüttelt wieder den Kopf. »Das dauert zu lange. Ein Freund von mir arbeitet in einem Profi-Labor. Ich fahre gleich hin.«

Ich dränge ihm vergeblich meine Begleitung auf. Er will mich ganz offensichtlich nicht dabeihaben, wenn die Filmrolle ihr Geheimnis enthüllt.

Warum eigentlich nicht, frage ich mich, als ich vor dem Steinhaus der Polizei an der Aachener Straße in mein Auto steige. Und weshalb hat er alle meine sachdienlichen Tipps ins Reich der Mär verwiesen? Wenn es offensichtlich keine Hinweise auf den Mörder gibt, sollte er da nicht jeder auch noch so unbedeutend erscheinenden Spur folgen? Statt mich einfach abzubürsten?

Auf dem Weg durch die schöne Landschaft werde ich immer wütender. Wäre Marcel Langer nicht Polizist, würde ich mir glatt überlegen, ob er nicht selbst etwas zu verbergen hat.

Aber er ist ja nicht immer Polizist gewesen. Er war einst Kneipier, der ein Restaurant in Krewinkel hatte und an einer Gastwirtschaft auf der Kehr gescheitert ist. Wo Gerd Christensen, Alf Mertes und Werner Arndt gelebt haben, Leute, die er gut gekannt hat. Vielleicht ist er selbst sogar Opfer des Tuppens geworden, weil die Belgier aus seinem Ort dafür die Kneipe in Nordrhein-Westfalen aufgesucht haben. Meine Vermutung, dass mit den Morden alte Rechnungen beglichen werden sollen, könnte sich in diesem Fall sogar wörtlich bewahrheiten: unbezahlte Rechnungen an einen Kneipier. Vielleicht hat er früher schmutzigere Geschäfte gemacht, als nur mit seinem Hund Kaffee zu schmuggeln. Zum Verbrecherfangen, hat mir mal ein Berliner Polizeibeamter verraten, müsse der Polizist selbst eine gewisse kriminelle Energie verspüren, die er natürlich in den Dienst des Guten stellt. Aber im Prinzip seien Polizisten und Kriminelle die zwei Seiten ein und derselben Medaille.

Nun, vielleicht hat Marcel Langer diese Medaille umgedreht! Schließlich war er es, der mir gegenüber den Verdacht auf Jupp und Hein gelenkt hat, ein nicht gerade polizeimäßiges Vorgehen. Jetzt schäme ich mich, wie kritiklos ich seinen Ausführungen gefolgt bin. Überall habe ich Anzeichen für die Tat-Beteiligung zweier Männer gesehen, die vermutlich völlig schuldlos sind und wahrlich genügend eigene Sorgen haben.

Ich gehe das Verhalten Langers von Anfang an durch und erschauere. Immer deutlicher kristallisiert sich heraus, dass er jede Gelegenheit genutzt hat, sich in meinem Haus aufzuhalten. *Weil er dich für eine heiße Schnitte hält.*

Heins Bemerkung hat mir durchaus geschmeichelt. Wirklich zuwider ist mir der zerzauste Bulle ja auch nie gewesen. Wenn ich ganz ehrlich bin: Er hat mir sogar sehr gut gefallen.

Das hat er gemerkt und verwertet. Um in meinem Haus etwas zu suchen. In der ersten Nacht hat er mich deshalb unter den Tisch getrunken – nachdem er Gerds Flasche Islay Whisky daraufgestellt hat; in der zweiten hat er meine Schwäche ausgenutzt, um sich weiter umzusehen. Jetzt begreife ich, weshalb auch er sich von Gudrun zum Putzen hat einteilen lassen! Und nachdem er in mein Haus eingebrochen war und das Gesuchte immer noch nicht gefunden hatte, schickte er mich zum Schlafen zu Gudrun. Damit er in aller Ruhe weitersuchen konnte. Meine Übernachtung in der Sicherheitszelle betrachte ich jetzt im gleichen Licht. Als ich eingeschlafen war, ist er wieder auf die Kehr gefahren. Alles passt. Er konnte ja nicht wissen, dass ich das vermutlich Gesuchte in meiner Handtasche verwahrte.

Das ich ihm jetzt freiwillig und guten Glaubens ausgeliefert habe. Dreist, mir auch noch mitzuteilen, den Film einem Freund zum Entwickeln zu geben! Er wird ihn einfach verschwinden lassen und überhaupt nicht wissen, wovon ich rede, wenn ich darauf zurückkomme. Gut möglich, dass mein blindes Vertrauen in die Staatsgewalt jetzt die Aufklärung der drei Morde verhindert.

Vor dem Kreisverkehr in Manderfeld bringt mich der Wegweiser mit der Aufschrift *Prüm* auf einen Gedanken. Mein Glauben in die belgische Polizei, die mit Marcel Langer als SOKO-Mitglied den Bock zum Gärtner gemacht hat, ist erschüttert. Jetzt ruht meine Hoffnung auf Polizeihauptkommissar Junk. Ich brettere durch Krewinkel und lenke meinen Wagen auf der Kehr rechts ab Richtung Prüm.

Auf dem Parkplatz hinter der Polizeiinspektion fange ich Junk gerade noch ab und entschuldige mich, nach Dienstschluss noch mit einem dringlichen Anliegen zu kommen.

»Ich habe Zeit«, versichert er freundlich, »will heute nur noch das Schwein zum Räuchern fertig machen.«

Das würde ich am liebsten auch, denke ich, und lasse mir von ihm auf dem Weg in sein Büro nach oben erklären, wie der Schinken erst lange in Salz gelegt werden muss, bis sich das Wasser abgesetzt hat und er dann, fein mit Sellerie bestreut, weiter verarbeitet werden kann.

Ich sehe Marcel Langer vor meinem geistigen Auge zwar in der Räucherkammer hängen, traue mich aber noch nicht, dem deutschen Polizeibeamten meinen Verdacht mitzuteilen. Dazu brauche ich richtige Beweise, keine Mutmaßungen.

So einfach wie ich es mir vorgestellt habe, ist an den Grundbuch-Eintrag nicht zu gelangen. Am Computer ist nicht zu ermitteln, ob der Laden meiner Großeltern Anfang der Sechziger über Nacht den Besitzer gewechselt hat. Und das Amtsgericht, wo das Grundbuch geführt wird, ist um diese Zeit schon geschlossen.

»Recherchieren Sie vor Ort«, empfiehlt mir der Polizeihauptkommissar. »Ich habe in meinem Dorf eine rüstige siebenundachtzigjährige Frau, die mir in solchen Fällen als Informantin dient.«

Jupps Mutter ist zwar alles andere als rüstig, aber die Ravioli haben ihr immerhin eine interessante Information entlockt. Darauf aufbauend sollte ich mir andere ältere Hallschlager vorknöpfen. Oder Kehrer.

Am besten fange ich gleich mit Fine an.

Wieder auf der Kehr

Die Haustür bei meinen Nachbarn in Nordrhein-Westfalen steht offen. Laute Stimmen dringen durch die geschlossene Küchentür.

Ich gehe einfach in die Diele, bleibe neben der Kommode mit der alten Agfa Clack stehen und lege mein Ohr an die Tür. Gudrun und Fine schreien sich auf Platt an. Die Sprache will sich mir nicht so recht erschließen, nur dass es um Alf geht, scheint klar zu sein.

Plötzlich wird Gudruns ansonsten so wohlklingende Stimme schrill: »Denge Maan hat mich emmer ajebaggert. Et wor net mer zum Ushale!«

Der alte Alf hat seine Melkerin angebaggert, übersetze ich mir. Und das hat Gudrun nicht mehr ausgehalten. Mir fällt wieder ein, wie überrascht sich Langer über die tröstende Umarmung Alfs nach dem Tod von Gudruns Vater geäußert hatte: »In der Eifel sind wir nicht so körperlich.«

Ajebaggert. Klingt durchaus körperlich. Schau an, noch eine Baustelle.

Tag 7, Donnerstag, frühmorgens

Der Wecker reißt mich aus dem Schlaf. Zuerst glaube ich noch, mich auf irgendeinen wichtigen beruflichen Termin vorbereiten zu müssen. Was für eine Modestrecke ist geplant? Welcher Designer stellt seine neue Kollektion vor, und wie heißt das superdünne Teenager-Model, dem meine Zeitschrift ein Forum für seine Ansichten zum Sinn des Lebens und der aktuellen politischen Lage bieten möchte?

Ich sinke wieder ins Kissen zurück. Die Zeit der Hochglanzfotos und des Tiefdruckklatschs ist vorbei. Ich bin arbeitslos. Wie Millionen anderer Deutsche auch. Nur hätte ich natürlich nie gedacht, dass es ausgerechnet mich treffen könnte. Eine Frau, die sich jahrzehntelang in der Welt der Schönen und Reichen bewegt hat. Nicht etwa, als gehöre sie dazu, sondern als verkörpere sie den weitaus höher angesiedelten Intellekt, der nachsichtig den modischen Saisonbetrieb kommentiert. Nachsichtig natürlich wegen der Anzeigenkunden.

Es war einmal: Eine übergewichtige Moderedakteurin, die dennoch von den Göttern der glitzernden Zunft hofiert wird. Damit sie das Unternehmen in ihrem Artikel mehr als einmal erwähnt und den Namen des neuen Sterns am Modehimmel auch ja richtig schreibt. Haidi mit ai, Sylke mit y, Sara ohne und Hannah mit h.

Gott sei Dank liegt das hinter mir.

Wie auch das morgendliche Ritual des Schminkens und des sich in unbequeme Kleidung Einzwängens. Adieu, Travestie eines fremdbestimmten Alltags! In dem ich mich dem *Was-sollen-die-Nachbarn-denken* auf vermeintlich höherem Niveau genauso ausgeliefert habe wie Hein, der sein Auto in Jupps Scheune versteckt.

Jupp, Hein, Fine – jetzt weiß ich wieder, warum ich mir den Wecker so früh gestellt habe. In Berlin fahren jetzt die ersten U-Bahnen. Und in der Eifel werden die ersten Kühe gemolken.

Als ich mir eine Mangoscheibe auf mein Schinkenbrötchen lege und das Ganze mit einer leuchtend roten Kapuzinerkressenblüte kröne, kann ich kaum glauben, dass ich Fine gestern Abend tatsächlich angeboten habe, ihr im Morgengrauen beim Melken zu helfen. Warum nur habe ich meinen Einstand in den Melkstand nicht auf den Nachmittag verlegt?

Weil es sich so ergeben hat.

Und weil ich gestern Abend, als mich keine Müdigkeit plagte, vergeblich versucht habe, aus Fine Informationen herauszukitzeln. Da erschien es mir vielversprechend, am nächsten Morgen gleichzeitig den Kühen Milch und der Melkerin Auskünfte zu entziehen.

Was gestern geschah

Der Streit der beiden Frauen nach meiner Rückkehr aus Prüm kam mir sehr gelegen. Als wäre ich gerade erst ins Haus marschiert, klopfte ich laut rufend an die Küchentür. Fine öffnete mir mit rotem Gesicht und zerrauftem Haar. So aufgelöst hatte ich sie noch nie erlebt, aber ich tat, als entginge mir die Spannung zwischen den Nachbarinnen. Gudrun betrachtete mich misstrauisch von der Seite, als ich mich auf einem Küchenstuhl niederließ. Mir graute vor dem Gespräch, das ich mit ihr noch zu führen hatte, und ich war heilfroh, als sie aufstand.

»Ich kann morgen früh nicht zum Melken kommen«, warf sie Fine ins Gesicht. Es klang wie eine Kündigung, und das war es wohl auch.

»Kind«, flehte Fine sie an. »Bitte lass mich nicht im Stich! Jupp muss seine Mutter morgen ins Krankenhaus bringen und kann auch nicht. Was soll ich denn tun? Die armen Tiere können doch nichts dafür ...« Sie warf mir einen Seitenblick zu und brach ab.

»Das«, sagte Gudrun würdevoll, strich sich die Haare aus dem Gesicht und öffnete die Küchentür, »ist ganz allein dein Problem.«

Und damit war sie weg.

Die Haustür knallte ins Schloss.

Stumm saß Fine auf dem Rand ihres Stuhls. Sie sah aus, als würde sie gleich in Tränen ausbrechen. Mit einer Hand berührte sie fahrig ihre Schläfe.

»Kann ich dir irgendwie helfen?«, fragte ich unsicher.

Sie lachte bitter.

»Wie denn? Beim Melken?«

»Warum nicht? So schwer kann das doch nicht sein.«

»Deine Mutter hat das nie gemacht.«

»Brauchte sie wohl auch nicht. Die Eltern hatten ja ein Geschäft. Was ist eigentlich aus dem geworden?«

»Hat dein Großvater verloren.«

»Wie denn?«

»Schlecht jewirtschaftet.«

»Einfach so?«

»Kommt vor.«

»Wer hat es denn übernommen?«

»Ein Fremder von außerhalb.«

»Wer?«

»Warum willst du das wissen?«

»Ich weiß so wenig von meiner Familie.«

»Manches bleibt besser verborgen«, sagte sie abweisend.

»Vor allem, wenn es ums Tuppen geht, nicht wahr?«, wagte ich einen Vorstoß und sah Fine gespannt an.

Sie antwortete nicht, sondern stand auf, drehte mir den Rücken zu und machte sich an der Spüle zu schaffen.

»Wie man hört, hat hier schon so mancher beim Tuppen Haus und Hof verzockt«, fuhr ich unbekümmert fort.

»Na so was«, sagte sie mechanisch und setzte mit

metallener Stimme hinzu: »Woher willst du das denn wissen?«

»Ich bin Journalistin und habe eben einiges diesbezüglich in Erfahrung gebracht«, bluffte ich weiter. »Und das hängt auch mit Alf zusammen. Und natürlich mit dem Tuppen.« Ich setzte noch einen drauf: »Es gibt sogar einen unzweideutigen Beleg. Damit ist alles klar.«

Da ich überzeugt war, diesen Beleg am nächsten Tag beim Blick ins Grundbuch aufzustöbern, hielt ich das nicht einmal für einen Bluff.

Ihr Gesicht war blass, als sie sich wieder umwandte. Ihre Hände umklammerten den Rand der Anrichte so fest, dass die Knöchel weiß hervortraten.

»Der Alf ist tot«, sagte sie stumpf und begann zu weinen. Als sie sich erneut mit einer Hand an die Schläfe fuhr, fürchtete ich, sie würde umkippen. Ich sprang auf, stützte sie, führte sie an den Küchentisch zurück und half ihr auf den Stuhl.

Im Geiste schlug ich mir vor den Kopf. Was war nur in mich gefahren! Unverzeihlich, einer gerade erst verwitweten Frau indirekt vorzuhalten, ihr Mann habe vor über vierzig Jahren meine Großeltern durch ein gewonnenes Kartenspiel um ihr Hab und Gut gebracht! Meine Unsensibilität grenzte an Leichenfledderei. Um an meine Informationen zu kommen, musste ich wesentlich behutsamer vorgehen. Und zur Abwechslung mal Rücksicht auf die Gefühle anderer nehmen.

»Ich habe deine Großmutter bis zu ihrem Tod jepflegt«, schluchzte Fine. »Wo war da deine Mutter, meine beste Freundin, dat sich einfach so vom Acker gemacht hat? Und wo warst du?«

»Noch gar nicht da«, erwiderte ich betroffen. Ich riss ein Blatt von der Küchenrolle ab und reichte es ihr. Sie schnäuzte kräftig hinein und blickte mit rot verweinten Augen auf.

»Du weißt überhaupt nichts«, schniefte sie zurück. »Du kommst hierher, setzt dich ins gemachte Nest und schnüffelst in Dingen herum, die dich gar nichts anjehen. Und dann beschmutzt du auch noch dem Alf sein Andenken.«

Was Gudrun vor einigen Minuten offensichtlich auch getan hatte. War es wirklich nötig gewesen, Fine jetzt damit zu kommen, dass Alf sie *ajebaggert* hatte? Nicht nur mir mangelte es offensichtlich an Feingefühl.

»Entschuldigung. Wir sind wohl alle etwas durcheinander«, sagte ich leise und wechselte rasch das Thema: »Ich würde wirklich gern melken lernen.«

»Du kannst gleich morgen früh anfangen.« Ihre Stimme klang schon wieder fester. Sie forderte mich auf, pünktlich um fünf am Melkstand zu sein.

»Um fünf?«, fragte ich erschrocken. »Ich dachte, ihr fangt erst um sechs an.«

»Für dir zu zeigen, wie es geht, brauche ich eine Stunde«, sagte sie. »Sei froh, dat wir die Küh nicht von der Weide reintreiben brauchen.« Gudrun habe sie trotz des guten Wetters nämlich am Nachmittag im Stall gelassen.

»Was soll ich dazu anziehen?«, fragte ich.

»Du kriegst eine Jummischürze«, erwiderte Fine »und die Jummistiefel von meinem Alf. Ojottojottojott, was soll ich jetzt nur tun? Mit all die Arbeit! Ohne den Alf! Na so was!«

»Du hast ja noch Hein«, versuchte ich sie zu trösten und dachte an Heins Traum, den Hof zu verkaufen und mit seiner Mutter zu Jupp zu ziehen. »Der wird schon eine vernünftige Lösung wissen, wenn ihr erst den Hof mit all der Arbeit los seid.«

Wieder hatte ich wohl die falschen Worte gefunden. Fine heulte laut auf und richtete einen anklagenden Zeigefinger auf mich: »Du willst uns vertreiben! Mich heimatlos machen! Jenau wie dein Bruder! Und das, wo ich deine Großmutter selig bis zu ihrem Tod jepflegt habe!«

»Wo ist Hein überhaupt?«, fragte ich ruhig. Ich musste verschwinden, wollte aber die völlig hysterische Frau nicht sich selbst überlassen.

»Da, wo er immer ist, wenn er in die Eifel kommt und mich nicht besucht«, jaulte Fine. »Muss ich dir doch nicht sagen, warst doch selbst schon da!«

»Du weißt ...«

»Natürlich weiß ich!«, fuhr mich Fine an. »Was denkst du eigentlich? Dass ich blind, taub und dumm bin? Na so was. Darüber reden, das ist dumm! Das tue ich nicht! Und dir verbiete ich es auch!«

Ich verstand. Eine Tatsache wird nur als solche anerkannt, wenn sie in Worte gefasst wird. Solange das nicht geschieht, bleibt die Welt, wie der Betrachter sie sehen will, und es braucht sich gar nichts zu ändern.

»Kann ich dich denn hier allein lassen?«, wechselte ich gehorsam das Thema.

»Du bist die Letzte, die mir jetzt helfen kann«, sagte sie, und das verstand ich nur zu gern als einen Rausschmiss.

In der Hoffnung, dass sich Fine über Nacht beruhigt hat, mache ich mich jetzt auf den Weg zum Melkstand. Ich begrüße mein Kälbchen, das schlafend vor seiner Hütte liegt, aber vom Klang meiner Stimme geweckt wird. Es erhebt sich, nähert sich staksig dem Gitter und lässt sich verpennt von mir den Kopf kraulen. Keine Auszeichnung hätte mich glücklicher machen können. Wenigstens dieser Tag fängt gut an.

Im Kuhstall, wo ununterbrochen das Radio plärrt – »Kühe lieben Musik«, hat mir Gudrun erzählt – laufen gerade die Verkehrsmeldungen. Was bedeutet, dass ich fünf Minuten zu spät dran bin. Aber immerhin noch vor Fine, wie ich befriedigt feststelle, als ich in die leere Melkgrube blicke.

Ich steige über eine kleine Metallleiter hinunter und mustere sechzehn Geräte, die wie Zapfsäulen aussehen, an denen je vier Schläuche hängen.

Diese münden in jeweils einen Metallzylinder, der auf einer Art Kerze feststeckt und offensichtlich für die Kuhzitze gedacht ist. Etwas ängstlich schaue ich auf die anderthalb Meter höhere Plattform, auf der sich zu beiden Seiten der mit einem Gummibelag ausgestatteten Grube gleich die massigen Körper drängen werden, die sich bereits hinter dem Gatter laut muhend aneinanderreiben. Ich kann also rückenschonend an die Euter herankommen, frage mich aber, was von oben alles an mich herankommen wird.

Genau in diesem Augenblick höre ich ein Gepolter direkt über mir. Ich schaue hoch und kann gerade noch erkennen, dass ein Brett der Holzdecke wie von Zauberhand geleitet zur Seite rutscht.

Was dann auf mich herabrauscht, stammt von keiner Kuh. Der Schwall kalter Flüssigkeit trifft mich voll auf den Kopf. Ich huste, spucke und reibe mir die Augen, die teuflisch zu brennen anfangen.

»Hilfe!«, schreie ich, »Hilfe!«

Ich muss an Wasser heran, mir die Augen ausspülen! Ich kann sie nicht länger offen halten! Oh, wie das Zeug beißt! Ich will mich zur Leiter vortasten, stürze auf den schwarzen Gummiboden, habe völlig die Orientierung verloren, reibe mir die Augen und schreie aus vollem Hals.

»Fine!«

Das Teufelszeug frisst sich in meine Netzhaut. Ich habe entsetzliche Angst, auf der Stelle zu erblinden, taste verzweifelt herum. Endlich, endlich spüre ich sie, die kleine Metallleiter. Ich versuche mich an ihr hochzuziehen. Ein Besenstiel oder so etwas wird mir zwischen die Brüste gerammt. Ich stürze zurück in die Grube.

Nicht nur ich. Irgendjemand landet neben mir. Ist heruntergesprungen. Oder geschubst worden. *Geschubst.* Zwei Leute brüllen. Verzweifelt reiße ich die Augen auf, kann sie aber nur einen Moment offen halten. Lang genug, um zu sehen, dass Fine wimmernd neben mir liegt und der feuerhaarige Hein auf der Leiter steht. Mit verzerrtem Gesicht und einem schimmernden Eiszapfen in der hoch erhobenen Hand.

Ich kneife die brennenden Augen wieder zu, packe Fine, halte das dünne Geschöpf wie einen Schutzschild vor mich und ziehe sie mit mir nach hinten in die Grube.

Adrenalin rast durch meinen Körper, betäubt den entsetzlichen Schmerz in den Augen und den brutalen Druck auf der Brust. Ich kämpfe um mein Leben! Blicklos, denn meine Augen sind zu Fremdkörpern geworden. Mit einem Arm halte ich die jammernde Fine fest; mit der anderen Hand reiße ich einen Melkzylinder von seiner Kerze und richte ihn wie eine Pistole dahin, wo ich Hein vermute. Als könnte die Milch den umgekehrten Weg herausschießen und Hein durch einen scharfen Strahl entwaffnen.

Fine verfällt vom Wimmern wieder ins Schreien: »Sie bringt mich um, sie bringt mich um!«

Ich zwinge mich zu einem Blinzeln. Mit einem Riesensatz springt Hein in die Grube, greift nach einem von der Decke herabhängenden Schlauch, richtet das pistolenartige Ende auf mich und befiehlt: »Mach die Augen sofort auf, Katja!«

Ich zerre an meinem Melkschlauch, nicht bereit, mich von Hein weiterquälen zu lassen.

Ein sanfter Strahl klaren reinen Wassers perlt über mein Gesicht.

»Augen aufhalten und nicht bewegen«, drängt Hein.

»Sonst bist du gleich blind. Und zwar für immer. Mensch, Katja, ich tu dir nichts, ich will dir doch helfen! Augen auf, verdammt noch mal!«

Ich habe keine Wahl, lasse ihn meinen Kopf in die Hand nehmen und bekomme die intensivste Augendusche meines Lebens verpasst. Das Brennen lässt sofort nach. Ach, tut das gut!

Wo ist der Eiszapfen? Habe ich halluziniert? Warum will er mich erst umbringen und rettet mir dann das Augenlicht?

Ich habe Fine losgelassen. Sie ist verschwunden. Ich weiß nicht, wohin, und es interessiert mich nicht die Bohne.

Always Look on the Bright Side of Life ...

Welcher Idiot ruft mich zu so früher Stunde an? Ich kann sowieso nicht zu dem Handy in meiner Hosentasche greifen, lass es klingeln und freue mich, dass ich überhaupt wieder klar gucken kann, ganz gleich ob *on the Bright Side of Life* oder *on the Dark Side of the Moon.*

»Wieder okay?«, fragt mich Hein nach einer kleinen Ewigkeit herrlichen Berieselns.

»Was war das denn?«, frage ich, als er den Schlauch wieder loslässt.

»Eine alkalische Lauge. Mit der wir den Melkstand säubern. Sei froh, dass es nicht das Desinfektionsmittel war.«

»Ich jubele. Aber wie ist das passiert?«

Er zuckt mit den Schultern und blickt nach oben, wo das Brett wieder fein säuberlich in seinem Bett ruht.

»Ein Unfall. Vielleicht stand da oben ein Eimer mit dem Zeug rum. Den eine Stallkatze umgeworfen hat.«

Es klingt alles andere als glaubhaft, aber ich sage nichts. Schließlich hat mir Hein gerade das Augenlicht gerettet. Was er wohl kaum getan hätte, wenn er an meinem Ableben interessiert gewesen wäre.

»Was machst du überhaupt hier?«, fragt Hein und sieht mich misstrauisch an.

»Deine Mutter hat mich zum Melken herbestellt«, erwidere ich. »Weil Gudrun gekündigt hat.«

»Du und melken?« Er schüttelt ungläubig den Kopf.

»Ich wollte nur helfen.«

»Das kannst du am besten, wenn du jetzt Gudrun aus dem Bett schmeißt und rüberschickst. Sag ihr, dass ich mit ihr melke.«

»Du und melken?«

»Man sollte alle vorhandenen Fähigkeiten wenigstens gelegentlich überprüfen.«

»Und was ist da eben passiert? Ich meine, ich bin doch angegriffen worden!«

»Übertreib nicht. Das war ein Unfall.«

»Das war kein Unfall!«

Ein Brett wurde verschoben und eine viel größere Ladung Lauge auf mich geschüttet, als eine Eifeler Wildkatze aus einem Eimer herausgekriegt hätte. Geschweige denn eine Stallkatze. Und von dem Stoß mit dem Schrubberstiel schmerzt meine Brust immer noch.

»Was hattest du da eben in der Hand?«, frage ich misstrauisch.

»In der Hand? Den Schlauch da«, antwortet er und deutet auf die von der Decke baumelnde Brause.

»Und davor?«

»Nichts. Wieso?«

Spinne ich? Aber ich habe ganz sicher etwas in seiner Hand gesehen. Das wie ein Eiszapfen aussah.

Andererseits: Wo soll im ausklingenden Eifeler Sommer ein Eiszapfen herkommen? Wahrscheinlich habe ich im Schock doch halluziniert. Der Faustkeil beschäftigt mich eben, und dann haben mir meine brennenden Augen einen Eiszapfen vorgespiegelt. Richtig glauben kann ich es aber nicht.

Mit weichen Knien erklimme ich die paar Stufen der Metallleiter und atme erleichtert den würzigen Landduft ein, als ich aus dem Stall komme. Ich mache mich auf den Weg zu Gudrun.

Am liebsten würde ich mich sofort wieder ins Bett legen. Mit einer kühlenden Kompresse auf den Augen.

Aber die Kühe interessiert nicht, dass ich soeben einem Mordanschlag entgangen bin; sie müssen gemolken werden.

Unterwegs ziehe ich mein Handy aus der Hosentasche und höre die Mailbox ab.

»Tut mir leid, dass ich Sie *so* früh störe, Frau Klein, aber offensichtlich schlafen Sie eh noch. Sieht ganz so aus, als ob Sie recht hatten«, höre ich Marcel Langers Stimme. »Die Fotos sind tatsächlich hochinteressant. Nicht die von den vier niedlichen Kälbchen, aber die anderen. Wahrscheinlich können wir damit den Täter überführen. Oder zumindest eine sehr interessante Spur verfolgen. Es gibt da nur ein kleines Problem ...«

Ich höre mir seine Sorge an und beschließe, ihn ein wenig schmoren zu lassen. Weil ja erst die Kühe versorgt werden müssen. Und weil ich ihm ohne Computer jetzt sowieso nicht helfen kann. Gerds hat die Spurensicherung mitgenommen. Und meinen Laptop habe ich in Berlin zurückgelassen.

Hein ist Eventmanager. Solche Leute nutzen nicht nur einen Laptop, sondern einen Schlepp-Top, den sie überall hin mitnehmen. Oder mitholen, wie man in der Eifel sagt. Und wenn der belgische Staat seine Polizeibeamten elektronisch so miserabel ausstattet – Polizeihauptkommissar Junk in Prüm ist da besser bedient –, dann muss er eben warten, bis die Kühe gemolken sind, ehe wir Gerds hochauflösenden Scanner an Heins Laptop anschließen und genau erkennen können, was auf dem mit einer alten Agfa Clack abfotografierten Schriftstück zu lesen ist, das Langer auf einem Foto gesehen hat.

Gudrun ziert sich keinen Augenblick, als sie hört, dass Hein im Melkstand auf sie wartet. Ihre Augen füllen sich mit Tränen, als ich ihr berichte, dass ich eigentlich für sie einspringen wollte. Sie gackert den ganzen Weg bis zum Stall.

»Ich stelle es mir nur vor«, sagt sie und wischt sich die Lachtränen weg. »Wie *du* dich im Melkstand bewegst!«

»Du hast doch selbst gesagt, dass es gar nicht so

schwer ist!«, protestiere ich und erzähle ihr nicht, wie ich mich soeben im Melkstall bewegt habe. Es war ein Anschlag, und das wird mir Hein auch nicht ausreden können. Aber jetzt kann ich nicht riskieren, dass die Kühe darunter leiden müssen, sollte Gudrun plötzlich Bedenken kriegen, in die Beinahe-Mördergrube zu steigen.

Während sie mit Hein die Euter mit der Augenlicht rettenden Dusche abbraust und die Melkbecher, so heißen die Zylinder, wie ich jetzt erfahre, an den Zitzen befestigt, bleibe ich auf der Plattform stehen und lasse beide nicht aus den Augen.

Wohin sich Fine verzogen hat, weiß ich immer noch nicht. Vermutlich ins Haus, um dieser migränefördernden Atmosphäre zu entkommen.

Radio, Dusche und Kühe machen Lärm, Hein und Gudrun schreien sich Rufe zu, die ungemolkenen Viecher strömen muhend auf die Plattform, die abgefertigten kehren in den Stall zurück. Irgendwie sieht alles sehr chaotisch aus. Ich stehe nahe der Leiter, habe Zeit zum Denken und staune, dass bis auf ein kleines Jucken meine Augen wieder schmerzfrei sind.

Irgendjemand ist auf die Decke des Melkstandes geklettert, hat ein Brett verschoben und mir diese Laugendusche verpasst. War es doch Hein gewesen, der von seiner Mutter überrascht wurde und dem dann nichts übrig blieb, als mich zu retten? Oder hat mir Fine nach dem Leben getrachtet? Weshalb sollte sie? Bestimmt nicht, weil ihr Mann Alf meinem Großvater vor vierzig Jahren den Lebensmittelladen abgenommen hat.

Für zwei der drei früheren Morde fallen mir aber durchaus mögliche Tatmotive für Fine ein. Sie hat Werner Arndt zutiefst verabscheut. Und es dürfte auch einer so zierlichen Person wie ihr nicht schwergefallen sein, dem Tattergreis einen Schlag zu versetzen und ihn dann in den Wolfgangsee zu schubsen. Ihren Mann könnte sie umgebracht haben, weil sie glaubte, er ginge ihr mit Gudrun fremd, wenn ich das auf Platt geführte Gespräch hinter der Küchentür richtig verstanden habe. Und weil sie die unerfreuliche Ehe mit ihm sowieso satt und keine Geduld mehr fürs langsame Vergiften hatte. Jedes Kind kann einem Einbeinigen die Prothese wegschlagen. Aber wieso sollte sie ihn ausgerechnet im Sägewerk erledigt haben? Wäre das nicht zu gefährlich gewesen, mit ihm den weiten Weg dorthin zu gehen? Irgendjemand hätte sie doch sehen können.

Dann fällt mir ein, dass Hein und ich auf unserem Spaziergang entlang der Höckerlinie keinem einzigen Menschen begegnet sind. Wir sind an keinem Hof oder Gebäude vorbeigekommen, nur an Windrädern, waren durch die Waldlinie dem Blick von der Bundesstraße entzogen und hätten den ganzen Weg splitterfasernackt laufen können, ohne Anstoß zu erregen. Nicht dass ich diese Vorstellung sonderlich reizvoll finde. Aber ich halte mich jetzt in einem extrem dünn besiedelten Gebiet auf – da hätte Fine einen solchen Gang durchaus riskieren können.

Aber warum war Gerd das erste Opfer? Was hatte mein Ex-Bruder mit ihr zu tun? Ein Motiv kommt mir nicht in den Sinn, wohl aber die Tatsache, dass sie als Putzfrau der Krippana die Möglichkeit gehabt hat, ihn ins Jenseits zu verfrachten.

Ich stelle es mir so vor: Er liegt benommen auf dem Krippenboden, nachdem ich ihn über das Geländer befördert und er sich den Kopf an der Milchkanne gestoßen hat. Fine, die noch in der Krippana putzt, hört unsere Auseinandersetzung und sieht mich davonlaufen. Aus irgendeinem mir noch nicht erklärlichen Grund will sie ihren Nachbarn beiseiteschaffen und sieht ihre Stunde gekommen. Mit einer gehörigen Portion Wut im Bauch und einem herumliegenden Faustkeil ...

Und da dämmert es mir. Den riesigen Bergkristall in der Krippe habe ich ja auch erst als Eisbrocken identifiziert! Hein hatte keinen Eiszapfen in der Hand, sondern einen Bergkristall. Einen faustkeilartig geformten Bergkristall! Von denen es unzählige in der Krippana zu kaufen gibt.

Mit diesem schlägt sie dann zu. Genau wie sie es bei mir auch geplant hat, nachdem sie mich außer Gefecht gesetzt hat und vom Melkstand-Dach hinabgestiegen ist. Hein kommt hinzu, entreißt seiner Mutter den Bergkristall und rettet mir Augenlicht und Leben.

Gerd hatte nicht so viel Glück.

Die belgische Polizei mag zwar computermäßig hinter dem Mond leben, aber die Forensiker in Eupen hat Fine nicht täuschen können: Der große Bergkristall ist mit Gerds Blut nachträglich präpariert worden, um eine falsche Spur zu legen. Mit einem großen Putzlumpen hätte sie ihn mühelos aus dem Verkaufsraum bis zur Krippe ziehen können. Eine perfekte Hausfrau wie Fine weiß, wie man anschließend ordentlich nachwischt, damit keine Schleifspuren mehr auszumachen sind.

Alles passt. Es wird Zeit, Marcel Langer anzurufen.

»Hein«, rufe ich in die Melkgrube, »hast du einen Laptop dabei?«

»Nicht hier im Stall.«

»Im Haus?«

»Natürlich! Ohne das Ding könnte ich gleich zumachen! Warum?«

»Kannst du nach dem Melken mit ihm zu mir rüberkommen?«

»Warum?«

»Sage ich dir dann. Bring deine Mutter mit. Und Gudrun.«

»Meine Mutter ist k.o.«

Noch nicht, denke ich gallig, aber das kriegen wir auch noch hin.

»Bitte, Hein, ich brauche sie. Es ist ganz wichtig!«

»Meine Mutter und mein Laptop«, schreit er, während er einer Kuh auf den Hintern klopft, »eine noch nie da gewesene Kombination.«

Er verlässt die Tankstelle, an der er gerade arbeitet, kommt zu mir auf die Plattform, packt mich am Arm und fleht mich heiser an: »Tu's nicht, Katja. Bitte! Sag Marcel nichts!«

Traurigere Augen habe ich noch nie im Leben gesehen. Ich versuche, meinen den gleichen Ausdruck zu verleihen. Es fällt mir sehr schwer, den aufsprudelnden Triumph zu verbergen.

»Es geht nicht anders, Hein. Es muss aufhören.«

»Und was passiert dann?«

»Ich weiß es nicht.«

»Katja, ich werde meine Mutter nicht ausliefern.«

»Bin ich denn die Polizei?«

»Du wirst Marcel anrufen.«

Ich kann diese Augen nicht belügen.

»Ja.«

»Hein!«, brüllt Gudrun, »komm sofort her, oder ich kündige noch mal!«

Er zuckt mit den Schultern und dreht sich um.

»Sag mir nur schnell, warum!«, rufe ich verzweifelt.

Er wendet sich mir wieder zu.

»Keine Ahnung«, sagt er. »Mein Vater muss sie verrückt gemacht haben. Er war ein Riesenarschloch. Wie Gerd und Werner auch.«

Er streicht sich durch die frisch gefärbten Haare, bis sie wie Igelstacheln hochstehen.

»Ganz gleich, was passiert, Katja, ich werde nicht gegen sie aussagen. Sie ist meine Mutter und hat ein Recht auf meinen Schutz. Das, was vorhin hier vorgefallen ist, habe ich gänzlich von meiner Festplatte gelöscht.«

Und dann geht es nur noch um die Kühe.

Ich verlasse den Stall, rufe Marcel Langer an und erzähle ihm auf dem Weg zu meinem Haus alles. Aus den Augenwinkeln sehe ich das Mädchen Nicole mit Linus durch das Gelände toben und wünsche mir in meinem Leben die Ordnung eines Ameisenhaufens.

Drei Stunden später

Wir sitzen in meinem Wohnzimmer, wo immer noch das Eichenbuffet steht, das ich Fine versprochen habe. Hein hat es tatsächlich geschafft, seine Mutter über die Straße nach Belgien zu bringen. Ich vermute, auch er hält die Qual der Ungewissheit nicht mehr aus, will das Warum endlich wissen. Fine liegt auf dem Sofa, wo Marcel Langer eine Nacht verbracht hat, und drückt sich die kalte Kompresse, die ich mir auf die Augen hatte legen wollen, auf die Stirn.

»Tuppen«, sagt Marcel Langer hart und legt ein DIN-A4-Blatt auf den Tisch. Ein fotografiertes Schriftstück ist zu erkennen, das durch Gerds hochauflösenden Scanner lesbar geworden ist. Ein Schuldschein.

»Alf Mertes überschreibt seinen Hof an Gerd Christensen. Werner Arndt unterschreibt als Zeuge«, sagt Langer. »Der Alf hat euren Hof aufs Spiel gesetzt und verloren, Fine. Gerd hätte euch jederzeit rausschmeißen können! Dein Alf hat euren gesamten Grund und Boden mit allem Drum und Dran verzockt.«

»So, wie er den Hof gekriegt hat«, flüstere ich.

»Das stimmt nicht«, protestiert Gudrun, »Fine hat ihn doch mit in die Ehe gebracht.«

»Genau!«, ruft Fine empört. »Das war meine Mitgift! Wie kannst du mir nur unterstellen ...«

»Sie unterstellt nichts«, sagt der Polizeiinspektor ruhig. »Die Katja hat völlig recht. Der Alf hat damals ihrem Großvater auf die gleiche Weise, nämlich beim Karten, den Lebensmittelladen abgenommen, zu Geld gemacht hat; Geld, mit dem sich Fines Vater als reichen Mann feiern ließ, der seine Tochter scheinbar mit einem neuen Hof ordentlich ausstatte. Das Gemauschel mit den Papieren muss recht abenteuerlich gewesen sein. Schließlich konnte man nicht eintragen lassen, dass der Herr Klein seinen Laden beim Tuppen an Herrn Mertes verloren hat. Da wurde geschwind ein Strohmann aufgetrieben, der die offizielle ›Kaufsumme‹ deinem Vater, Fine, – dem ehrenwerten Herrn Schmitz aus Losheim – ausgehändigt hat.«

Ich schaue auf meine Uhr. Das Amtsgericht, wo die Grundbücher verwaltet werden, ist immer noch geschlossen. Woher hat dieser Mann eine Information, die Fine offensichtlich nicht unbekannt ist, da ihr bei seiner kleinen Ansprache die Röte ins Gesicht schießt.

Hein hingegen ist ganz blass geworden und starrt seine Mutter entgeistert an.

»Dat da ist schuld!«, brüllt Fine, schmeißt die Kompresse in eine Ecke und deutet mit zittrigem Finger auf mich. »Wenn dat nicht jekommen wäre, hätten wir alle in Frieden weiterleben können. Ohne Männer, die zu nichts nutze sind! Und die niemandem fehlen!«

Recht hat sie, denke ich. Nach allem, was ich über diese Männer erfahren habe, ist die Kehr ohne sie besser dran. Aber hätte man sie gleich ermorden müssen? Mir fährt ein Schauer über den Rücken. Diese Bemerkung habe ich in meiner Jugend schon von ganz anderen Leuten in einem ganz anderen und erheblich historischeren Zusammenhang gehört. Von solchen Leuten, die über andere Menschen genauso dachten wie ich gerade, habe ich mich mein Leben lang distanziert.

Fine setzt sich auf, stellt die Beine fein ordentlich nebeneinander und sieht die drei anderen Hilfe suchend an. »Es sind doch immer die Fremden, die Unruhe ins Dorf bringen! Die sich einmischen und alles durcheinanderbringen! Ganz gleich, ob sie nun aus Hamburg oder Berlin kommen! Marcel, wir hier, wir jehören doch alle zusammen. Du hast mir damals mit deinem Hund den Kaffee gebracht, und ich habe dir unser schönes Schwarzbrot auf den Schlitten jeladen. Weißt du noch, wie wir zusammen das Zöllnerhäuschen abjefackelt haben?«

Sie deutet auf ihren Unterarm. »Und du hast danach mit mir Blutsbruderschaft jetrunken, wenn du jenau hinguckst, siehst du vielleicht noch den Schnitt. Das soll alles nichts bedeuten?«

Der unglückliche Blick, den mir der Polizeiinspektor zuwirft, entschädigt mich für vieles.

»Ich war ein Kind«, murmelt er, »und hatte gerade Winnetou gelesen.«

»Winnetou ist ein Christ«, höre ich mich zitieren. »Die Stelle ist auch in meinem Buch von all den Tränen ganz wellig, obwohl ich nie eine Christin war.«

»Da hast du es!«, fährt Fine auf. »Sie sagt es selbst. Ist keine ehrliche Christin! Eine Heidin, eine Ungläubige. Und mit so einer verbündest du dich? Marcel! Du verrätst alles, was dir heilig war! Du verrätst unseren Herrn! Für eine fette Frau. Ich schäme mich für dich.«

»Mutter«, wirft Hein leise ein und sagt zu uns ge-
wandt: »Sie weiß nicht, was sie sagt. Der Tod meines
Vaters hat sie völlig aus der Bahn geworfen. Schaut sie
doch an: So jemand kann doch niemanden ermorden.«

Gudrun sagt gar nichts, starrt von einem zum anderen. Die Frau, die immer alles unter Kontrolle haben
will, hat an den ganzen Dramen vor ihrer Nase vor-
beigelebt. Vielleicht, weil sie zu sehr damit beschäftigt
war, ihre eigene Position zu verteidigen. Und sich Alf
vom Leibe zu halten.

»Sag doch auch was!«, schreit Fine sie jetzt an.
»Sonst nimmst du doch immer das Maul so voll! Mein
Vater hat mir zumindest einen Hof mitjegeben, deiner
hat alles mit den Weibern durchgebracht! Und er
hat…jetzt hör jut zu, Marcel, denn dat ist wichtig…
seine eigene Schwester, dat Maria, damals in den Bunker jeschubst. Dat kann die Anna Klein, Katjas Mutter,
bezeugen. Wir haben es beide mit unseren eigenen
Augen jesehen!«

Sie atmet tief aus und lehnt sich befriedigt zurück.

»Der Werner ist tot«, sagt Marcel Langer müde.

»Und meine Mutter auch«, setze ich hinzu. Jetzt verstehe ich alles. Fast alles.

»Warum?«, frage ich leise. »Warum habt ihr sie
dann so lange da liegen lassen, dass ihr ein Tier die
Hand abfressen konnte?«

»Sie war tot«, antwortet Fine. »Hätte nur Schere-
reien für uns gegeben. Und du wärst im Jefängnis geboren worden! Wo du hinjehörst! Dat Anna hat sich
einfach aus dem Staub gemacht, mir den janzen Dreck

hinterlassen und ist verschwunden. Verschwunden!«, bellt sie mich an.

Ich denke daran, wie fremd mir meine Mutter in den letzten sieben Tagen geworden ist. In denen ich Lage um Lage ihrer Geschichte abgehoben, ihrer Vergangenheit aufgedeckt habe. Von dem, was sie erlebt, was sie geprägt hatte, wusste ich gar nichts. Aber ich habe den Menschen Anna Klein fast ein halbes Jahrhundert lang gekannt. Und diesem Menschen bedeutete Verantwortung viel.

»Sie hat dir ein Versprechen abgenommen«, verlege ich mich wieder aufs Bluffen, »dass du dich um ihre Mutter kümmerst.«

»Erpresst hat sie mich!«, schäumt Fine.

»Womit?«, fragt Marcel Langer rasch.

Fine macht ihren Mund zu einem schmalen Strich. »Ich sage gar nichts mehr!«

An meine Haustür wird gepocht. Marcel Langer springt auf, aber ich schüttele den Kopf und gehe in den Flur.

»Katja?«, höre ich Jupps Stimme.

»Wie geht es deiner Mutter?«, frage ich, als ich ihn hereinlasse.

»Danke. Den Umständen entsprechend gut. Wahrscheinlich kann sie morgen wieder nach Hause kommen. Was ist bei euch bloß los? Hein schickt mir chaotische Simse.«

»Chaotisch reicht nicht«, antworte ich. »Fine legt grad ein Geständnis ab.«

»Oh Gott. Also doch. Wie hält sich der Hein?«

»Er schützt sie.«

»Kannst du ihm das verdenken?«

»Nein, aber es wird ihr nichts helfen. Sie reitet sich immer tiefer rein.«

»Dann wird es bald ein Ende haben. Katja«, er zieht mich an sich und drückt mir einen Kuss auf die Wange. »Danke. Dafür, dass du all die Teppiche gehoben hast. Ich weiß nicht, wie viel Zeug ohne dich noch daruntergeschoben worden wäre. Verschwindet, ihr Teppiche!« Um die Armbewegung des breiten blonden Mannes hätte ihn jede Aspirantin auf die Rolle der Königin der Nacht beneidet.

»Und ihr verschwindet auch, ihr geklöppelten Spitzendeckchen«, sage ich und freue mich, dass wenigstens etwas Gutes aus dieser grausamen Geschichte erwachsen wird: Hein und Jupp können endlich zusammenziehen.

»Muss jetzt wohl«, seufzt er nicht gerade unglücklich und tritt mit mir ins Wohnzimmer ein.

»Ihre Mutter, Frau Klein«, sagt Marcel Langer zu mir, »hat gedroht, Fine Mertes anzuzeigen.«

Hein steht mit dem Gesicht in beiden Händen an das Buffet gelehnt. Sein ganzer Körper bebt. Jupp tritt auf ihn zu, nimmt ihn in die Arme und streichelt ihm sanft den Kopf.

»Muss das jetzt sein!«, bellt Fine empört.

»Ja, Fine«, sagt Marcel Langer. »Das muss sein. Der Hein braucht das jetzt. Dein Sohn braucht einen Menschen.«

»Er hat doch mich!«

»Er wird dich in der JVA besuchen.«

»Ich gehe in keine JVA.«

»Warum wollte meine Mutter Fine anzeigen?«, frage ich.

»Die Fine wusste, dass Ihre Mutter mit Ihnen schwanger war. Von Karl Christensen. Und sie hat eine Menge Geld von Werner Arndt gekriegt, für Maria Christensen zum Pilzesammeln genau dorthin zu locken, wo er sie umbringen konnte. Weil Maria beim Pastor die Blutschande beichten wollte. Und ihrem Mann reinen Wein einschenken. Deswegen haben die beiden Frauen den Mord auch beobachten können.«

»Sie hat es meiner Mutter gesagt?«, frage ich ungläubig.

»Nicht vorher. Nachher. Die Fine wollte sich die Anna verpflichten. Schau her, ich habe dir den Weg frei gemacht, damit dein Kind ehelich zur Welt kommt. Ich verschaffe dir dein Glück. Keine Heimlichkeiten mehr. Du kannst den Christensen Karl jetzt heiraten. Und wir sind Verbündete in einem Mord, den wir selbst nicht begangen haben. Und haben den Arndt Werner in der Hand. Als Ihre Mutter das begriff, hat sie ihre Sachen gepackt und die Fine mit Drohungen genötigt, sich um ihre Mutter zu kümmern.«

Ja, genau das hätte meine Mutter getan. So, wie ich sie gekannt habe. Nein, sie ist mir überhaupt nicht mehr fremd, sondern näher denn je zuvor. Jetzt begreife ich auch, weshalb sie mir die Briefe und ihre Vergangenheit vermacht hat. Weshalb sie auf Karl Christensens Briefe nicht geantwortet hat. Weshalb sie mir bei Lebzeiten alles verschwiegen hat. Ich hätte es genauso getan – wenn ich so stark wäre, wie sie gewesen war. So autark. Mutter, du kannst endlich in Frieden ruhen. Ich danke dir. Für alles. Für mein Leben.

Tränen rinnen mir übers Gesicht. Gudrun setzt sich auf die breite Lehne meines Sessels und legt mir eine Hand auf die Schulter.

»Das ist alles längst verjährt«, sagt Fine trotzig.

»Mord verjährt nicht«, erwidert der belgische Polizeiinspektor sanft. »Und deine Morde, Fine, sind noch keine Woche alt. Du hast den Gerd, den Alf und den Werner erschlagen. Es ist vorbei.«

»Ist es nicht!«, trumpft sie auf. Irgendwie bewundere ich ihren Starrsinn. »Das musst du mir erst nachweisen. Womit soll ich diese Männer denn umgebracht haben? Wo ist die Tatwaffe?«

Ich starre Hein an.

»Das war kein Eiszapfen«, sage ich langsam. »Das war ein Bergkristall.«

Hein nickt.

»Ich habe ihn aus dem Stall geworfen«, flüstert er.

»Hol ihn!«, schnauzt ihn Langer an.

Als Hein Arm in Arm mit Jupp den Raum verlässt, regt sich in mir etwas wie Mitleid mit Fine, die den beiden voller Entsetzen nachblickt. Als hätte nicht sie, sondern ihr Sohn ein schweres Verbrechen begangen. Fine, die auf das Dach des Melkstandes gestiegen ist, um mich umzubringen, und mir eine ätzende Dusche verpasst hat. Mein Mitgefühl schwindet so schnell, wie es gekommen ist.

»Warum der Werner?«, fragt Marcel Langer. »Weil er Zeuge war, dass der Alf den Hof verspielt hat, und wusste, dass du den Gerd erschlagen hast? Weil er dich vor Jahrzehnten in sein Verbrechen mit reingezogen hat? Oder weil er einfach zur falschen Zeit am falschen Ort und die Gelegenheit für dich günstig war?«

»Der Werner war ein böser Mann!«, faucht Fine. »Er hat mich bedroht, da musste ich mich doch wehren! Ja, das war es: Notwehr!«

Ich denke daran, wie sie bei meinem Besuch in ihrer Küche über Gudruns Vater hergezogen ist. Über den rammdösigen Alten, dem sie den Mord an Gerd in die Schuhe schieben wollte und den sie zu diesem Zeitpunkt bereits im Wolfgangsee zum ewigen Schweigen verdammt hatte. Hätte sie ihren eigenen Mann nicht auch noch um die Ecke gebracht, wäre ihre Rechnung aufgegangen. Niemand hätte je etwas von dem schicksalhaften Tuppen-Abend erfahren. Auch mich hat sie benutzt. Wie perfide, mich nach unserem Gespräch zum Spaziergang auf dem Gelände aufzufordern! Mich mit einem Gespräch über Ginster und die Lieblichkeit des Weihers einzulullen. Wissend, dass ich dort wieder einen von ihr kurz zuvor ermordeten Mann entdecken würde.

»Aber warum dein eigener Mann?«, fragt Langer weiter.

»Weil er Gudrun *ajebaggert* hat«, melde ich mich zu Wort.

Fine hört kaum zu. Sie befindet sich in ihrer eigenen Welt.

»Ein Film«, murmelt sie. »Kann ich doch nicht wissen, dass er dat fotografiert hat! Deshalb also war der Gerd nach dem Tuppen so lange auf dem Klo. Hat dort die Bilder von dem Schuldschein gemacht. Und ich suche mich dumm und dusselig nach einem Fetzen Papier.«

»Den habe ich Alf gegeben«, sage ich. »Der steckte in Gerds schwarzer Jeans.«

»Der Alf hatte den Zettel?« Ungläubig starrt sie mich an.

»Ja.«

»Na so was! Da hat er ihn einfach kaputt gemacht, ohne mir was zu sagen! Klar, weil er mit dat Gudrun wegwollte, der Saukerl! Und dat, nach allem, was mein Vater für ihn jetan hat. Und ich ihm unter Schmerzen den Hein jeboren hab. Nimmt er sich dat Gudrun, die vorher zum Gerd in sein dreckiges Bett jekrochen is!«

Gudruns Hand krallt sich in meine Schulter.

»Ich wollte nichts von dem Alf! Er hat mich belästigt!«

»Sagst du jetzt«, tobt Fine. »Da hat er was ganz anderes gesagt. Als ich mit meine kaputte Füße den ganzen Weg die Höckerlinie langlaufe, für seine Prothese auszuprobieren. Alles wird jetzt gut, habe ich ihm gesagt. Nach allem, was ich für ihn und unsern Hof getan habe! Und dann am Sägewerk ...«

Sie bricht ab.

»Am Sägewerk?«, hakt Marcel Langer nach.

»... habe ich ihm gesagt, soll er doch mit dat Gudrun glücklich werden. Und bin heimgegangen.«

»*Er* ist heimgegangen. Dafür hast du gesorgt!«, ruft Gudrun.

»Dann zahl du doch seine Beerdigung!«, faucht Fine die Frau an, die sie als alte Jungfer abgestempelt und die in ihrem Alf solch bedrohliche Frühlingsgefühle wachgerufen hat.

Lange Zeit sagt niemand etwas.

Hein und Jupp kehren zurück.

»Der Stein ist weg«, sagt Hein. »Wir haben alles abgesucht.«

»Na so was«, sagt Fine. »Da war nie ein Stein.«

Sie fasst sich an die Stirn.

»Was für einen Unsinn wir heute geredet haben.

Am besten, wir vergessen das alles gleich wieder. Und machen normal weiter. Marcel, kümmere dich um die Katja, die hatte vorhin einen bösen Unfall. Vielleicht solltest du Dr. Knauff holen. Und deine Mama, Katja, dat wor meine beste Freundin. Jupp, kannst du heute Nachmittag melken? Du hilfst ihm doch, Gudrun? Meine Migräne ist so schlimm.« Ihr Eiflerisch nimmt überhand. »Ojottojottojott! Mein Kopf zerspringt gleich, wenn ich mich nicht hinleje. Hein, mein Jung, kümmere dich um die Beerdijung von deinem Papa. Ich kann nicht mehr. Dat is alles nur ein schrecklichen bösen Traum. Alles ja nich wahr. Alles verjessen. Dummes Zeug, dat alles.«

Hein eilt an ihre Seite, als sie sich schwankend erhebt.

»Hein?«, fragt Marcel und sieht ihn vielsagend an.

Hein nickt.

»Ich bringe sie ins Bett«, sagt er und sieht unter seinem feuerroten Schopf zehn Jahre älter aus.

»Du bleibst bei ihr? Versprochen?«

»Ich auch«, meldet sich Jupp. »Keiner wird sich vom Fleck rühren.«

»In Ordnung. Dann informiere ich jetzt die SOKO.«

»Warum ...«, fragt Gudrun, als sich die Tür hinter dem Trio schließt, »... warum hat Fine meinen Vater umgebracht?«

»Er hat sie bedroht«, spreche ich meine Schlussfolgerung laut aus. »Vielleicht hat er den Mord an Gerd bei seinem Herumstreunen ja beobachtet ...«

»Ein sehr unwahrscheinlicher Zufall«, wirft Langer ein. »Ich glaube eher, der alte Kartenspieler hat eins und eins zusammengezählt und dann geblufft. Der Fine gedroht, sie als Täterin anzuzeigen, wenn sie ihm nicht einen großen Teil des Kuchens abgibt, den sie jetzt behalten konnte. Für euren Hof zu retten, Gudrun.«

»Sie verabredet sich mit ihm auf dem Verbotsgelände und nimmt den Bergkristall mit«, spinne ich den Gedanken weiter, »luchst ihn dann im Gespräch zur Böschung des Wolfgangsees. Angeblich, um dort hübsche Blumen für den Küchentisch zu pflücken. Ginster. Sie hat ja schon einen Mord begangen, und mit diesem könnte die Akte geschlossen werden. Schon sehr kaltblütig.«

»Nein«, widerspricht Langer, »nicht kaltblütig – es war die reine Verzweiflung. Dass alles umsonst gewesen sein sollte ...«

272

»Und sie hatte mit Werner ja noch manche alte Rechnung offen ...«

Ich schaue Gudrun an und schließe den Mund.

Marcel Langer zieht sein Handy hervor.

»Ich rufe die SOKO an«, sagt er. »Die soll Leute schicken, für den Bergkristall zu suchen.«

»Krippana«, sage ich. »Herr Balter wird doch wissen, ob einer seiner Heilsteine fehlt.«

Ein Anruf bestätigt unsere Vermutung.

»Was passiert jetzt?«, frage ich.

»Es geht seinen Gang«, erwidert Marcel Langer. »Meine Kollegen aus Belgien, NRW und Rheinland-Pfalz sind schon unterwegs. Fine wird erst mal in U-Haft kommen. Mein Gott, was ist das fürchterlich.«

»Schreiben Sie doch Ihren Bericht«, schlage ich vor. »Heins Laptop steht noch in Gerds Arbeitszimmer. Ich gehe raus. Brauche frische Luft.«

»Ich auch«, stöhnt Gudrun.

Auf dem Weg zum Verbotsgelände erzähle ich Gudrun von Fines Mordanschlag auf mich.

»Nur eins verstehe ich nicht«, sage ich. »Ich bin ja nicht gerade eine Elfe. Wie hätte sie meine Leiche denn aus der Melkgrube wegschaffen können?«

»In kleinen Teilen, natürlich«, antwortet Gudrun sachlich, »kaum ein Untergrund lässt sich so gründlich reinigen wie der Gummiboden im Melkstand. Und die Katja-Stückchen hätte sie dann in der Jauchegrube versenkt oder an ihre Hunde und die Tiere des Waldes verteilt.«

Mir ist ganz schlecht. Ich habe seit dem Morgen nichts gegessen, aber trotz knurrenden Magens ist mir jeglicher Appetit vergangen. Die mörderische Kehr frisst mir mein Fett weg.

»Welch ein Glück, dass Hein heute zufällig so früh raus war und mich gerettet hat!«

»Nicht Glück, sondern Absicht«, erwidert Gudrun, »spätestens seitdem der Alf dran glauben musste, hat er seine Mutter in Verdacht gehabt. Und sie genau beobachtet. Außerdem habe ich ihm gestern gesagt, dass ich heute nicht zum Melken kommen würde. Als ihn seine Mutter dann nicht um Hilfe angefleht hat, wurde er wohl misstrauisch.«

Schweigend wandern wir weiter bis zum Wolfgangsee.

»Ich habe meinen Vater richtig gehasst«, gesteht Gudrun plötzlich. »Und jetzt fühle ich mich deswegen schuldig.«

»Du hast ihn aber nicht nur ertragen, sondern dich auch deiner Verantwortung ihm gegenüber gestellt«, bemerke ich und denke an meine Mutter. Die hatte die Verantwortung für ihre Mutter an Fine abgegeben. Ich pflücke eine lila Wildblume und werfe sie in den Wolfgangsee. »Hier hat Linus ihn gefunden.«

Als hätte er auf das Stichwort gewartet, stürzt der Höllenhund schon auf uns zu.

»Linus!«, rufe ich, als das schwarze Riesenviech in gewaltigen Sätzen über die Wiese springt. »Was machst du denn hier?«

Ich kann kaum glauben, dass ich dem mächtigen

Räuber, der mich an Langer verraten und mir Brühwurst und Kalbsleberbrötchen geklaut hat, mit einem
gewissen Glücksgefühl unter dem Kinn kraule. Ich
habe ihn tatsächlich vermisst. Na so was!

»Hallo!«

Die kleine Nicole taucht auf.

Sie rennt auf Gudrun zu und zerrt sie an der Hand.

»Du hast recht gehabt«, ruft sie beglückt. »Die Über-
lebenden haben ein neues Volk gefunden! Kommt
mit!«

Gudrun schaut mich an.

Ich nicke. Wir haben nichts Besseres zu tun.

Ganz in der Nähe des von der Sintflut vernichteten
Ameisenhaufens ist ein neuer Hügel entstanden.

»Mein neues Volk«, ruft Nicole glücklich und deutet
auf den lebhaften Betrieb.

Gudrun und ich sehen noch etwas anderes. Einen
in der Sonne leuchtenden Bergkristall in Faustkeil-
form. Er ist so geschickt platziert, dass das Wasser bei
einem Regenguss umgeleitet würde.

»Wo hast du diesen Stein her?«, frage ich Nicole.

»Vorhin beim Stall gefunden«, erklärt sie glücklich.
»Ist er nicht schön? Wie vom Himmel geschenkt.«

»Das ist er auch«, sagt Gudrun ernst. »Und wegen
der Geschöpfe im Himmel müssen wir ihn dahin bringen, wo er noch dringender gebraucht wird, Nicole.«

Sie hebt den Stein auf und reicht ihn mir.

»Und ich baue jetzt mit dir einen richtigen Stein-
wall, der dein Volk für alle Zeit vor dem bösen Regen
schützt. Bist du einverstanden?«

Ich sehe das Bedauern im Gesicht des Kindes, als ich den schön glitzernden Stein von Gudrun entgegennehme. Ich sehe aber auch ein einsames Kind, das sich als Spielkameraden Ameisen erwählt hat und jetzt dankbar für eine Erwachsene ist, die ihr Faible teilt.

»Glaubst du«, höre ich sie fragen, als ich allein den Weg zurück antrete, »dass die Ameisen von meinem alten Volk noch manchmal an ihre vielen Toten denken?«

»Ganz bestimmt.« Gudruns Stimme ist schon fast verweht, aber ich verstehe noch: »Sie gedenken ihrer Toten und verzeihen denen, die ihnen unrecht getan haben.«

Abends

Alles ist vorbei. Fine sitzt in Untersuchungshaft, und ich sitze mit Gudrun, Jupp, Hein und Marcel in ihrer Küche auf nordrhein-westfälischem Gebiet.

Wir kommen uns vor wie Überlebende nach einem langen Krieg. Und dabei ist es erst eine Woche her, dass ich Gerd über das Geländer geschubst und damit auf der Kehr einen Tsunami ausgelöst habe. Inzwischen weiß ich, dass Fine mich tatsächlich dabei beobachtet und – in ihrem Sinn – die Gunst der Stunde genutzt und den benommenen Gerd mit dem kleinen faustkeilartigen Bergkristall erschlagen hat.

»Wann fährst du zurück nach Berlin?«, fragt mich Hein, nachdem er den Eintopf gelobt hat, den ich aus dem Rest von Fines Rindfleischbraten, Süßkartoffeln und den Kräutern in meinem verwahrlosten Gemüsegarten gemacht habe.

Berlin? Das liegt auf einem anderen Stern. Aber ich habe da eine Mietwohnung, die wohl inzwischen wieder zugänglich ist. Und einen Lebensmittelpunkt, dessen Inhalt mittlerweile ziemlich gammelig sein dürfte. Vielleicht auch nicht. Ich war ja nur eine Woche weg. Unglaublich.

»Spielschulden sind Ehrenschulden«, fährt Hein leise fort. »Dieses Haus gehört jetzt dir.«

»Sag mal, spinnst du?«, fahre ich auf.

»Er hat recht«, sagt Jupp.

»Und meins auch«, meldet sich Gudrun mit ihrer wohlklingenden Stimme.

»Das gehört doch der Bank«, sage ich verärgert.

»Nein«, mischt sich Marcel Langer ein. »Wieder so ein Gemauschel. Die Bank ist nur der Makler. Auch Werners Vermögen gehört Gerd. Der hat deinen Vater erpresst, Gudrun. Das haben wir inzwischen herausgefunden.«

»Wegen der Weiber?«, frage ich ungläubig.

»Nein. Viel schlimmer«, sagt er, schaut Gudrun und mich an und schiebt ein »Entschuldigung« hinterher.

»Der Werner hat im Krieg eine Reihe von Juden den Nazis ausgeliefert. Leute, die sich verzweifelt an ihn wandten, damit er sie über die Grenze in Sicherheit bringt. Wenn sie nicht so viel zahlen konnten, wie die Nazis für ihre Ergreifung ausgesetzt hatten, verriet er sie. Und hat mit dem Geld seinen Hof ausgebaut. Tut mir leid, Gudrun. Der Gerd ist dahintergekommen. Ihr wisst ja, wie schlau der war, wenn es darum ging, etwas über andere herauszufinden. Das war nicht nur sein Beruf, sondern geradezu seine Berufung.«

Ich nicke, denke mit gewisser Bewunderung daran, wie gut Gerd über meine Lage informiert war. Er hätte einen brillanten investigativen Reporter abgegeben.

»Und er kannte die Namen der noch lebenden Nachfahren«, fährt Langer fort. »Er hat Werner angedroht, ihn wegen Verbrechens gegen die Menschlichkeit anzuzeigen. Und hat sich dann sein Schweigen sehr teuer bezahlen lassen.«

»Blutgeld«, sage ich entsetzt. »Um Gottes willen.«

»Genau.«

Ein fürchterlicheres Erbe kann ich mir nicht vorstellen. Wiedergutmachen kann ich nichts. Aber herausfinden, wer diese Nachfahren sind, und ihnen zumindest ihr Eigentum zurückgeben. Mein Gott, ich bin ja jetzt reich. Wie furchtbar!

Ich kann nicht einfach so nach Berlin zurückkehren, irgendein Leben aufnehmen, das Geld der Juden, das zweifach erpresst wurde, verbraten und so tun, als hätte ich mit all dem nichts zu tun. Weil es mit mir nichts zu tun hat.

Hat es aber doch. Und mit Gudrun. Gerd war *ihr* Bruder, wenn auch nicht auf dem Papier – aber hätte *sie* nicht eigentlich ein Recht auf sein Erbe? Der Anstand verlangt, dass ich ihr wenigstens die Hälfte anbiete. Dass wir gemeinsam überlegen, wie wir den Nachfahren der Ausgenommenen einen Teil zukommen lassen können.

Was hätte meine Mutter getan? Sich dieser Verantwortung entzogen und sie jemand anderem übergeben? Vielleicht. Vielleicht auch nicht. Was sagt Marcel Langer so oft: *Das werden wir nie wissen.*

Ich frage in die Runde: »Was soll ich tun?«

Vierstimmig kommt die Antwort: »Hierbleiben!«

Ja, so etwas Ähnliches gibt mir mein Gefühl, dieses trügerische Ding, auch ein. Hierbleiben. Aufräumen. Und zwar nicht nur das Dachgeschoss meines Kehrer Domizils.

»Was soll ich hier arbeiten?«, frage ich. »Mich etwa als Melkerin oder Waldarbeiterin verdingen?«

»Eine Gastwirtschaft aufmachen«, schlägt Langer vor.

»Eine was?«

»Sie haben mich gehört.«

»Wie lange wollt ihr euch eigentlich noch siezen?«, fragt Gudrun müde.

Der Polizist sieht mich an. Wir denken das Gleiche. Wir haben es nicht nötig, uns dem Druck irgendeiner Öffentlichkeit zu beugen. Auch wenn die nur aus unseren Freunden besteht.

»Ein Restaurant! Tolle Idee!«, ruft Hein. »Ich mache den Maître de Plaisir.«

»Und ich den Umbau«, meldet sich Jupp. »Kommt

ja nur dein Haus hier infrage, Hein. Nachdem du die Kühe verkauft hast. Ist doch perfekt. Katja wohnt direkt gegenüber, du bei mir ...«

»... und als Kellnerin melke ich die Gäste statt der Kühe«, fällt ihm Gudrun ins Wort. »Das gefällt mir. Vielleicht kann ich ja hier einziehen, wenn ich mein Haus verliere ...« Sie sieht mich unsicher an, fährt dann beherzt fort: »Wir verkaufen die Kühe, Katja kocht, aber sie darf nicht ganz so abenteuerliche Gerichte servieren. Sonst wird keiner kommen.«

»Klar kommen alle«, wirft Hein ein. »Wo es hier doch außer dem Hotel Balter nichts gibt!«

»Darf man da eigentlich noch rauchen?«, fragt Jupp und steckt sich eine an. »Du musst dafür unbedingt ein Hinterzimmer einrichten, Katja, vielleicht im Eltern-Schlafzimmer.«

Für dort gründlich die unheilvollen Schwingungen auszuräuchern, geht mir durch den Kopf. Oje. Schon wieder ein Gedanke in Eifeler Deutsch.

»Ha«, ruft Gudrun, »ein Hinterzimmer, für zu tuppen, das meinst du wohl!«

»Klar, wir müssen den Nachbarn doch ein Zimmer zum Karten anbieten!«

»Das«, verkündet Marcel Langer würdevoll, »habe ich jetzt nicht gehört.«

»NRW fällt auch nicht in deine Zuständigkeit«, weist ihn Hein zurecht.

»Stimmt. Und ab und zu schätze ich ja auch einen Zigarillo.«

»Mich fragt keiner«, werfe ich ein. »Vielleicht habe

ich ja keine Lust, für Eifeler Bauern zu kochen und ein Raucherzimmer einzurichten.«

»Aber für Eifeler Polizisten?«, fragt Gudrun.

Ich denke an Hauptkommissar Junk aus Prüm und die wunderbaren Schinken, die er liefern könnte.

»Vielleicht«, sage ich und spinne den Gedanken weiter. »Für Bauern, Bauarbeiter, Eventmanager, Melkerinnen, Waldarbeiter, Touristen, Polizisten und wer sonst noch auf der Kehr einkehren will. Einkehr. Wäre doch ein netter Name für so ein Restaurant. Darüber denke ich später nach. Jetzt, liebe Leute, bin ich müde und will schlafen.«

Hein, Gudrun und Jupp stehen sofort auf.

»Gute Nacht, Katja«, singen sie fast und sind weg, bevor ich antworten kann.

Klar, zwischen Marcel und mir soll jetzt irgendwas passieren. Damit ich ganz sicher hier auf der Kehr bleibe und ein Restaurant mit dem Namen »Einkehr« eröffne. Das uns allen die Zukunft sichern soll. Nachdem wir die Vergangenheit gänzlich aufgeräumt haben.

Marcel Langer zündet sich einen von Gerds Zigarillos an.

»Was für ein Tag!«, sagt er und setzt fast vorwurfsvoll hinzu, »Hören Sie, Katja, ich finde, *Sie* sollten es *mir* anbieten.«

Überwältigt von so viel belgischer Höflichkeit, unbarmherziger Direktheit und vor allem von der mitschwingenden Zärtlichkeit stimme ich zu: »Da hast du völlig recht, lieber Marcel.« Natürlich betone ich seinen Namen auf der ersten Silbe. So, wie sich das in der Eifel gehört.

Was dann geschieht, ist eine völlig andere Geschichte.

Von der ich, wie ich das manchmal so mache, später vielleicht Einzelheiten preisgeben werde.

Ich danke

meiner Nachbarin Nicole Quetsch für ihren Linus, der es tatsächlich geschafft hat, mir die Angst vor Hunden auszutreiben, und dem ich ein liebevolles Andenken bewahre,

Polizeiinspektor Erwin Hannen von der Polizeizone Eifel in St. Vith, der zwar bestens gebügelte Hemden, ansonsten aber durchaus einige Züge von Marcel Langer trägt und einmal tatsächlich mit der Trennscheibe die Polizeizelle von außen öffnen musste,

Polizeihauptkommissar Josef Junk von der Polizei Prüm fürs Mitspielen und für viele nützliche Informationen, nicht zuletzt über die ordentliche Räucherung von Schinken,

Michael Balter, dem tatsächlichen Inhaber der Losheimer Krippana ebenfalls fürs Mitspielen und für die blutverschmierte Nase seines Maltesers Ivo,

Anneliese und Klaus Quetsch, meinen Nachbarn, ohne die ich in Sachen Eifeler Brauchtum, Sprache, Landwirtschaft und Kehrer Geschichte völlig verloren gewesen wäre,

Martin Quetsch und Heike Mai für das schöne Haus, das sie mir vermieten, und für äußerst nützliche Hinweise zum Melkstand und zu Kälbchengeburten,

Hans Christen, der alles über die Maria-Himmelfahrts-Kapelle auf der Kehr weiß,

Nathalie Heinen, die mir die »Deutschen Belgier« ausgetrieben und die Deutschsprachige Gemeinschaft (DG) Belgiens sowie die Feinheiten des Dialekts und der regionalen Kartenspiele nahegebracht hat, ihrem Mann Werner Kessler für seinen schmuggelnden Kühstipp,

meiner Hamburger Freundin Brigitte Ahrens, die mich als Krimi-Kennerin nicht nur begeistert anfeuerte, sondern sich als Ärztin um fachgerechtes Wohl und vor allem Wehe meiner Protagonisten kümmerte,

weiter all jenen, die selbst genau wissen, wie sie mir weitergeholfen haben, vor allem Antje und Klaus Lipka, Werner Kirsch, Marlene und Karl-Heinz Jenniges, Alfred Heintges, meiner Verlagslektorin Anja Rüdiger, meiner Außenlektorin Christine Neumann, meinem wunderbar emsigen Agenten Peter Molden und ganz besonders meinem Lebenspartner Michael, der mit keiner neuen Fassung die eigene je verlor und mit erstaunlich krimineller Energie den häuslichen Frieden aufrecht erhielt,

sowie allen Kehrern, die mir hoffentlich verzeihen werden, dass ich ihnen mit den drei von mir erbauten Höfen eine solch mörderische Nachbarschaft zumute.

M. K., Zur Kehr, 2008

Gerwens & Schröger

Die Gurkenflieger von Kleinöd

Ein Niederbayern-Krimi.
320 Seiten. Piper Taschenbuch

Das niederbayerische Kleinöd steht kopf: Der vierjährige Paul Daxhuber ist spurlos verschwunden. Die Großeltern, bei denen er aufwächst, seit seine Mutter Corinna ihn dort ablieferte, sind verzweifelt. Auch die polizeilichen Ermittlungen unter der Leitung von Franziska Hausmann werfen zunächst nur weitere Fragen auf: Warum verschwand Corinna damals so plötzlich? Hat sie womöglich ihr eigenes Kind entführt? Und welche Rolle spielen die polnischen Erntehelfer, die mit den Gurkenfliegern auf den Feldern ihre Runden drehen? Hinter der scheinbar idyllischen Fassade des Dorfes lauern ungeahnte Abgründe ...

Gerwens & Schröger

Anpfiff in Kleinöd

Ein Niederbayern-Krimi.
320 Seiten. Piper Taschenbuch

In der Nähe des niederbayerischen Weilers Kleinöd wird eine furchtbar zugerichtete Leiche gefunden. Wer war der Tote, der von vielen Frauen des Dorfes als Heiliger verehrt wurde, weil er angeblich die Stimmen der Toten hören konnte? Und warum musste er sterben? Ein Fall für Kommissarin Franziska Hausmann, die es bei ihren Ermittlungen diesmal nicht leicht hat: Seit das Los entschieden hat, dass der prominente Fußballklub Schalke 04 der nächste Gegner der örtlichen Kicker im DFB-Pokal sein wird, haben zumindest die meisten männlichen Kleinöder nichts als das runde Leder im Kopf. Als die Polizei endlich auf eine heiße Spur gerät, ist es fast zu spät, und die Ereignisse überschlagen sich dramatisch ...

»Gerwens und Schröger gelingt eine gleichermaßen rasante wie auch hintergründige Durchdringung menschlicher Abgründe und dörflicher Idylle.«
Heilbronner Stimme

05/2399/02/L   05/2400/01/R

LIT media
Buchdiscount
Die günstigen Seiten für
Leseabhängige
DATUM 26/09/2011 MON ZEIT 10:53

3X   @4.95
WG 1 T1   €14.85
        3.00xPOST.
NET1 BTG   €13.88
MWST 7%   €0.97
TOTAL   €14.85
BAR   €50.00
RÜCKG   €35.15
Vielen Dank für Ihren Einkauf
-Auf Wiedersehen
Dreieck 16
53111 Bonn
Tel. 0228-9658670

Nicola Förg
Tod auf der Piste
Ein Alpen-Krimi. 240 Seiten.
Piper Taschenbuch

Die Garmischer Kommissarin Irmi Mangold, die gerne mit der Motorsäge ins Holz fährt und auch mal im Stall ihres Bruders mithilft, und ihre junge Kollegin Kathi Reindl, alleinerziehende Mutter mit chronisch schlechtem Gewissen, haben diesmal eine besonders harte Nuss zu knacken. Kurz vor Ende der Skisaison – im Tal ist längst Frühjahr – wird auf der Kandahar-Piste ein Toter gefunden, ermordet per Kopfschuss. Das Merkwürdige daran: Der Mann trägt ein altmodisches Skioutfit mit einer WM-Startnummer von 1978. Weshalb musste er sterben? Und was hat es nur mit der seltsamen Montur auf sich? Ausgerechnet beim Dirndlkauf stößt Irmi auf eine heiße Spur ...

Volker Klüpfel, Michael Kobr
Seegrund
Kluftingers dritter Fall. 352 Seiten.
Piper Taschenbuch

Am Alatsee bei Füssen macht der Allgäuer Kommissar Kluftinger eine schreckliche Entdeckung – am Ufer liegt ein Taucher in einer riesigen roten Lache. Was zunächst aussieht wie Blut, entpuppt sich als eine seltene organische Substanz aus dem Bergsee. Kluftinger, der diesmal bei den Ermittlungen sehr zu seinem Missfallen weibliche Unterstützung erhält, tappt lange im Dunkeln. Der Schlüssel zur Lösung des Falles muss tief auf dem Grund des sagenumwobenen Sees liegen ... Kluftingers dritter Fall von dem erfolgreichen Allgäuer Autoren-Duo Volker Klüpfel und Michael Kobr.

»Kommissar Kluftinger hat in seinen Kniebundhosen das Zeug zum Columbo von Altusried!«
Die Welt

PIPER

05/2409/01/L

05/2375/01/R

PIPER

Jacques Berndorf

Gebrauchsanweisung für die Eifel

240 Seiten. Gebunden

»Eifel-Kreuz«, »Eifel-Blues«, »Eifel-Schnee«, »Mond über der Eifel«: in seinen Büchern mit Millionenauflage macht er die Eifel zum Tatort für Verbrecher. Jetzt stellt Jacques Berndorf uns die stille Schönheit im Westen mit seinen ganz persönlichen Lieblingsplätzen vor. Er nimmt uns mit in das uralte Bauernland mit Mittelgebirge und Torflandschaften, in Nationalparks, auf mittelalterliche Festungen und auf die Deutsche Vulkanstraße. In die älteste Stadt Deutschlands, nach Trier, nach Koblenz, Bad Münstereifel, Prüm, zu den Ordensbrüdern von Maria Laach und zum Eifel-Literaturfestival. In die Heimat von Bitburger, Apollinaris und Rucola, von Mario Adorf, Balthasar König – und vielleicht auch Karl dem Großen? Er führt uns zu den Maaren, diesen »Augen der Eifel«: Der Überlieferung nach sind sie Tränen, die Gott anlässlich der Schönheit der Schöpfung der Eifel weinte. Er zeigt uns eine Idylle mit Abgründen, eine Region mit Kultstatus, eine mystische Welt für sich.

01/1760/01/L